D0441832

CHRONIQUES
DU MARAIS QUI PUE

Dans la même série

La Chasse à l'ogre
La Grotte du dragon

Titre original : *Muddle Earth*
Book three : *Doctor Cuddles of Giggle Glade*
Text and illustrations copyright © Paul Stewart
and Chris Riddell 2003
First published in United Kingdom
by Macmillan Children's books, London

Pour l'édition française :
© 2005, Éditions Milan, 300 rue Léon-Joulin,
31101 Toulouse Cedex 9, France
Loi 49-956 du 16 juillet 1949 sur les publications
destinées à la jeunesse
ISBN : 2-7459-1791-9
www.editionsmilan.com

PAUL STEWART · CHRIS RIDDELL

CHRONIQUES DU MARAIS QUI PUE

ÉPISODE 3

L'abominable docteur Câlinou

MILAN

GOBELINVILLE

LÀ Y A PAS
UN SEUL DRAGON

LA COLLINE
SANS
DANGER

LE BAC À SABLE

LE PONT DES TROLLS

LA RIVIÈRE ENCHANTÉE

LA MARE
ODORANTE

LES MONTAGNES
AUX OGRES

QUI PUE

Пom : Jean-Michel
Chanourdi
Activité : écolier
Passe-temps favoris :
foot, télévision, disputes
avec sa sœur
Plat préféré : tout sauf
ce qui est préparé par
Norbert

Пom : Randalf le Sage, maître
enchanteur du Marais qui pue
Activité : euh… maître
enchanteur du Marais qui pue
Passe-temps favori : jeter
des sorts (vous appelez ça
jeter des sorts ! signé :
Véronica)
Plat préféré : frites de têtards
écrasés, façon Norbert

Пom : Henri
Activité : chien
de Jean-Michel
Passe-temps favoris :
promenades, chasse à
l'écureuil, reniflage du
derrière des gens qu'il
ne connaît pas
Plat préféré : nourriture
pour chien (évidemment !)

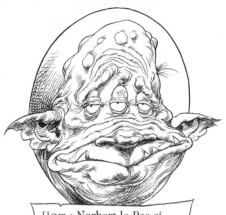

Пom : Norbert le Pas-si-
grand
Activité : ogre
Passe-temps favoris : sucer
son pouce, cuisiner (sur-
tout décorer des gâteaux)
Plat préféré : tout et n'importe quoi de préférence

Пom : Véronica
Activité : animal de compa-
gnie de Randalf le Sage
Passe-temps favori : sarcasme
Plat préféré : n'importe
quoi, du moment que
ce n'est pas préparé par
Norbert

Пom : baron Cornu
Activité : gouverneur
du Marais qui pue
et mari d'Ingrid
Passe-temps favoris :
gouverner et obéir à Ingrid
Plat préféré : chocolat
chaud aux crachats

Пom : docteur Câlinou (chut !
ne prononcez pas son nom
à voix haute)
Activité : (chut ! personne ne
doit se douter de son existence)
Passe-temps favoris : (vous
n'avez pas entendu ce que
je viens de dire ?!)
Plat préféré : gâteau Grobisou

Pour Anna et Jack

PROLOGUE

Une nouvelle aube éclairait le Marais qui pue. Les souris échassières s'étiraient, les chauves-souris à plumes rejoignaient leur perchoir et trois lapins arboricoles frottaient leurs yeux bleus de leurs petites pattes roses.

L'horizon se teintait d'un marron sale. Deux des trois lunes – la violette et la jaune – se couchaient. (La lune verte, malgré les prévisions des experts, ne s'était pas montrée de toute la nuit.)

À l'horizon, le soleil se levait. Ses rayons rasants irradiaient le mont Boum et les Montagnes moisies.

Boum ! explosa faiblement le mont Boum en laissant échapper un rond de fumée gris clair.

Un peu plus loin, posant délicatement ses larges pattes à coussinets dans la poussière, un énorme félin rose à rayures descendait la route sinueuse des Montagnes moisies. Il s'arrêta, et poussa un rugissement rauque. Ses dents de sabre scintillèrent. Les créatures alentour firent silence : les poissons des collines se pétrifièrent, une chauve-souris à plumes s'éloigna sans bruit, les trois lapins arboricoles rabattirent leurs oreilles sur leurs yeux. Le gros chat gratta le sol et rugit une seconde fois.

– Je sais, je sais.

Sur le dos du félin avait été sanglée une magnifique selle sertie de pierreries. Sur la selle, se tenait une femme. Elle mit pied à terre.

– C'est bon de rentrer chez soi, dit-elle.

Les rayons du soleil accentuaient le flamboiement de ses cheveux, mettaient en valeur sa peau dorée et faisaient ressortir ses muscles.

Elle était vêtue d'une courte tunique de cuir et portait une grande cape de mousseline bordée de fourrure d'ours. Son casque de bronze était rehaussé d'argent. Les lacets de ses sandales se croisaient sur ses chevilles fines et ses mollets bombés. À sa ceinture en peau de dragon, elle avait attaché une fronde et une magnifique épée d'or. Enfin, son sac était à la dernière mode : en peau de chèvre.

– Nous sommes partis trop longtemps, reprit-elle en passant la main sur le pommeau de son épée. Nous avons combattu des orques, des géants, des sorcières… J'en ai assez à présent. Il est temps de nous reposer !

Elle regarda l'horizon.

– Nous avons juste besoin d'un bon vieux magicien à l'ancienne. Nous lui proposerons nos services. Plus de démon dégoulinant, ni de sorcier malfaisant ! Quelques gobelins à surveiller et tout le lait que tu pourras laper. Je ne sais pas pour toi, mais en ce qui me concerne, j'ai hâte de me déchausser. Ces sandales me tuent la plante des pieds.

Elle passa les doigts entre les oreilles pointues du félin. Il ronronna bruyamment. Puis Brenda, la princesse guerrière, remonta en selle et reprit les rênes. Le félin secoua la tête.

– En avant, Sniffy ! ordonna-t-elle.

Sa voix résonna dans la montagne.

– Au Lac enchanté !

Le soleil brillait sur le Marais qui pue. Il baignait de sa douce clarté les montagnes et les forêts, les routes, les ponts, les villes… et le Lac enchanté qui flottait dans les airs comme un lavabo géant.

Les rayons traversaient la cascade et irisaient la Mare odorante. Ébloui, un poisson argenté se laissa entraîner par le courant et tomba directement dans le bec d'un oiseau dodo qui attendait patiemment.

Flop Flop Gloups !

Sur le lac, les bateaux-maisons tanguaient doucement.

À l'intérieur d'une de ces habitations flottantes, un garçon frappait comme un sourd contre une porte.

– Debout, Randalf ! Réveillez-vous ! criait-il de toutes ses forces.

Il s'appelait Jean-Michel Chanourdi. Son chien, Henri, assis à côté de lui, aboya.

Le ronflement qui faisait vibrer la coque s'arrêta un instant avant de reprendre de plus belle. Une perruche se posa sur l'épaule du garçon.

– C'est pas fermé à clé, tu sais, dit-elle.

Jean-Michel poussa la porte. Un magicien rondouillard était étalé sur le dos dans un lit de la taille d'un timbre-poste. Il portait son chapeau pointu. Les bras écartés, le cou tordu, ses gros orteils passant par les trous de ses chaussettes, il grogna.

Ses paupières remuèrent mais restèrent closes.

– Randalf ! vociféra Jean-Michel.

Il était en colère. Il s'approcha du magicien et le secoua.

– Randalf ! Vous aviez promis !

– Et tu l'as cru ? se moqua Véronica, la perruche, en se posant sur la bedaine de Randalf.

– Randalf ! insista Jean-Michel en le secouant de nouveau. Randalf !

Le magicien se tourna de l'autre côté et continua de ronfler.

– Laisse-moi faire ! proposa la perruche

Elle sauta sur l'oreiller et approcha son bec de l'oreille de Randalf.

– Oh, Randy ! hurla-t-elle. Randy ! Réveille-toi ! Y a une souris échassière dans ton lit !

Le magicien se redressa comme piqué par une guêpe.

– Une souris échassière ! cria-t-il. Où ça ? Où ça ?

Il se cogna contre le montant de son lit.

– Ouille !

Jean-Michel se mordit la lèvre pour ne pas éclater de rire.

– Une souris échassière ! gémit le magicien. Quelle horreur ! Argh !

Puis il remarqua Jean-Michel et plissa les paupières.

– Il n'y a pas de souris, hein ?

Véronica et Jean-Michel éclatèrent de rire. Henri aboya.

– Je vois, marmonna Randalf en s'asseyant sur son lit avec toute la dignité dont il était capable.

Il se gratouilla la barbe.

– Votre lit est beaucoup trop petit pour vous, observa Jean-Michel.

Randalf lui lança un regard noir.

– Je te ferais remarquer que ce lit a appartenu à un roi !

– Oui, à Alf, le roi des elfes ! ricana Véronica. Et même lui s'y trouvait à l'étroit. Ah ça, ils vous ont vu venir à la boutique de meubles d'occasion !

– Véronica, tais-toi, bâilla le magicien.

Il s'étira, perdit l'équilibre, se rattrapa au rideau de son baldaquin (qui lui resta dans les mains) et tomba lourdement sur le sol. Le bateau tangua.

– Aïe, ouille, se plaignit-il.

Il se tourna vers Véronica.

– Tout est ta faute ! Tu m'as réveillé en sursaut !

– Non, mon gros, c'est votre faute parce que vous avez dormi trop longtemps, riposta la perruche.

– C'est vrai, renchérit Jean-Michel. Vous aviez promis que nous partirions dès l'aube et il est presque midi !

– Mais… commença Randalf.

– Vous savez parfaitement, l'interrompit Jean-Michel, que si je veux avoir une chance de rentrer chez moi, nous devons nous rendre à la Clairière gloussante pour récupérer le Grand Grimoire et donner une leçon à… !

– Oui, mon garçon, nous y allons, nous y allons ! s'empressa d'opiner Randalf avant que le fameux nom ne soit prononcé. Après tout ce que tu as fait pour le Marais qui pue, je te dois bien ça !

– En fait, intervint Véronica, le truc que vous, vous faites le mieux, c'est rien du tout ! Vous êtes un expert dans ce domaine.

– Véronica, tais-toi, dit Randalf. Crois-moi, mon garçon, nous irons au bois des Elfes...

– Mais quand ? insista Jean-Michel. Je me fiche de vos promesses ! Vous trouvez toujours une excuse pour ne pas bouger. Qu'est-ce que vous avez inventé hier ? Ah oui, vous deviez vous shampouiner la barbe. Et la veille ? Aller acheter des betteraves au pont des Trolls. Et le jour précédent, assister à la course de lapins arboricoles à Gobelinville, et la semaine dernière, les gouttes de pluie étaient bizarres et la semaine encore d'avant...

Randalf hocha la tête.

– Je sais, je sais. Nous avons eu un planning très chargé. Mais j'ai rangé mon bureau...

– Vous ? Ranger ! se moqua Véronica. Ce serait bien la première fois !

Randalf l'ignora.

– J'ai promis que nous partirions aujourd'hui et je tiendrai parole.

Il fronça les sourcils.

– C'est étrange, je suis persuadé d'avoir remonté l'horloge avant de me coucher.

Il sortit de la chambre et traversa le salon.

– J'espère qu'elle n'est pas encore en panne !

Les aiguilles de l'horloge étaient toutes les deux dirigées vers le bas, comme s'il était six heures et demie. En grommelant dans sa barbe, Randalf prit l'horloge et la secoua violemment... il y eut un *schboing* et un ressort tomba.

– Horloger spécialisé, hein ? lança Véronica.

Randalf haussa les épaules.

– Maudite technique ! Ça ne marche jamais correctement.

– Remarquez, dit Véronica, le sortilège contre lequel vous avez échangé cette horloge n'a jamais fonctionné non plus !

– Ça n'a rien à voir ! repartit Randalf.

– Oui, bien sûr ! Racontez ça au gobelin qui a perdu tous ses cheveux après votre transaction !

Du bout de son gros doigt, Randalf frappa les minuscules portes de la façade de l'horloge.

– C'est encore cet elfe de malheur, rumina-t-il. Montre-toi, crétin incompétent !

Les portes restèrent closes. De l'ongle, Randalf les ouvrit. Des roues d'engrenage tombèrent sur le sol, puis un autre ressort. Randalf pinça les lèvres, sa barbe trembla. L'elfe de l'horloge avait disparu.

– Qu'est-ce que c'est que ça ! explosa le magicien. Où est-ce que cette ridicule petite créature est allée ?

– Il y a un mot, fit remarquer Véronica.

Randalf regarda dans l'horloge. Une minuscule carte était épinglée au-dessus d'un petit hamac.

– « Parti en balade, lut-il à voix haute. Je reviens dans une quinzaine de jeudis »... Quel culot ! se fâcha le magicien.

Il y eut soudain un *plop* suivi d'un *splash*. Randalf leva la tête.

– Qu'est-ce que c'était ?

Véronica haussa les épaules.

– Un poisson, sans doute. De toute façon, il n'y a que des magiciens qui soient assez fous pour vivre sur ce lac volant. Et comme ils ont tous disparu... La faute à qui d'ailleurs, hein ?

Randalf ne releva pas et fit semblant de se concentrer à nouveau sur l'horloge.

– C'est peut-être un mal pour un bien, la disparition de cet elfe, marmonna-t-il. On ira chez Grubley en chercher un autre. Il en a reçu de nouveaux. Le baron s'en est acheté un qui chante et fait des claquettes...

– On s'en fiche ! s'emporta Jean-Michel. Et notre quête ?

Randalf ferma un œil.

– Il est un peu tard pour partir maintenant, tu ne crois pas ?

– Randalf ! cria Jean-Michel.

– D'accord, d'accord, soupira Randalf, mais laisse-moi le temps de...

Il y eut un nouveau *plop-splash*. Plus fort que le précédent.

Puis la porte s'ouvrit violemment et Norbert le Pas-si-grand, l'ogre de la maison, entra dans la pièce en bâillant et en se frottant les yeux.

– C'est toi, Norbert ? demanda Randalf.

L'ogre fronça les sourcils.

– Ben oui, c'est moi !

Il hésita un instant :

– Enfin… je crois.

Il se frappa le front du plat de la main. Le bateau se balança fortement.

– Ne me dites pas que je me suis transformé pendant la nuit ? s'inquiéta-t-il. Comme la fois où j'étais devenu cette affreuse gobeline qui passait son temps à faire de la couture !

– C'était un rêve, Norbert, expliqua patiemment Randalf. Tu te souviens, nous en avons déjà discuté. Et oui, bien sûr, tu es toujours toi ! Je voulais juste savoir si tu étais à l'origine du *plop* et du *splash* que nous venons d'entendre.

– Ben, j'ai rien entendu, dit Norbert. Mais faut reconnaître qu'avec cette pluie de cailloux, c'est pas facile d'entendre quelque chose.

– Pluie de cailloux ? s'exclama Randalf.

– Y en a un qui m'a frôlé le crâne, se plaignit Norbert.

– Ton cerveau ne risquait rien, vu que t'en as pas ! railla Véronica.

Randalf secoua la tête.

– Je n'aime pas beaucoup cette histoire de pluie de cailloux. Ça ressemble à un mauvais présage. C'est encore pire que la bruine de mercredi dernier. Peut-être devrions-nous remettre notre départ…

– Sûrement pas ! s'écria Jean-Michel. Vous trouvez toujours un prétexte : le brouillard, les feuilles qui tombent, et maintenant la pluie de cailloux ! Vous avez promis que nous partirions aujourd'hui et une promesse est une promesse !

Randalf leva la main.

– Bien sûr, mon garçon, bien sûr. Je proposais juste que nous avalions un solide petit déjeuner avant de prendre la route.

– Des gâteaux Grobisou ? proposa Norbert.

– Parfait ! acquiesça le magicien. Et du porridge, s'il te plaît. Ainsi qu'une tasse de lait de souris échassière… et… des jujubes… euh, pense à les éplucher avant de les poser sur la table…

Henri aboya.

– Et ajoute quelques os frits pour notre vaillant écuyer à poils, reprit Randalf.

– Moi, tout ce que je veux, c'est partir, gémit Jean-Michel.

– Oui, mon garçon, mais nous partirons le ventre plein, ce sera beaucoup moins dangereux, dit Randalf.

– Tu l'as dit, bouffi ! lâcha Véronica.

Une fois de plus, Randalf l'ignora. Il s'adressa à Norbert.

– Et tant que tu y es, mon ami, prépare un panier pique-nique. On s'arrêtera déjeuner sur la route.

Jean-Michel grogna. Ça allait prendre des heures : Randalf allait exiger des sandwichs sans miette, une tasse de lait à la température idéale (un peu tiède, mais pas trop), des œufs durs salés au grain de sel près et les gâteaux Grobisou allaient devoir être décorés de glaçage rose, parsemés de vermicelles au chocolat et enveloppés individuellement dans des napperons.

Après deux petits déjeuners – trois pour Randalf –, Norbert finit de préparer le panier pique-nique et le posa près de la porte. Jean-Michel avait revêtu son armure de super-guerrier et s'était assis sur le panier. Avec son bouclier de bronze, son épée tranchante comme une lame de rasoir, son casque, son plastron d'argent et ses bottes – offerts par son amie, Margot la dragonne –, il avait le look parfait du vaillant chevalier. Il ne lui manquait plus qu'une quête.

– On peut y aller maintenant ? soupira-t-il.

– Bien sûr, mon garçon, dit Randalf en jetant un coup d'œil par la fenêtre.

Le ciel était obscurci par les nuages.

– Je vais juste prendre mon chapeau imperméable, au cas où, ajouta-t-il.

Jean-Michel retint un grognement d'agacement.

– Impatient, hein ? lui lança Véronica en voletant autour de lui.

Jean-Michel fit la moue.

– Pourquoi fait-il toujours ça ? Il sait à quel point cette quête est importante pour moi.

À ce moment, la voix de Randalf leur parvint. Il était dans sa cabine.

– Norbert ! Vérifie que toutes les fenêtres sont bien fermées et les lumières éteintes… et si tu pouvais passer un coup de serpillière dans la cuisine…

– Tu vois ! s'écria Jean-Michel exaspéré, en se levant pour faire les cent pas dans le salon.

Randalf finit par réapparaître. Il portait un chapeau à la pointe duquel était fiché un mini-parapluie.

– J'ai bien réfléchi, commença-t-il. Peut-être que nous devrions attendre demain. Nous nous lèverions plus tôt et…

– Non ! hurla Jean-Michel.

Véronica se posa sur son épaule.

– Tu sais pourquoi il cherche toujours à retarder cette quête ? dit-elle. Il a peur d'aller à la Clairière gloussante. Il a peur de ce qu'il va y trouver…

– Peur ! s'indigna le magicien. Moi ? Peur ! tu sembles oublier que grâce à mes pouvoirs, je peux…

Soudain, un caillou de la taille d'une tranche de pain à la morve traversa une fenêtre. Randalf poussa un cri de terreur et sauta dans les bras de Norbert.

– Aaaah ! Un mauvais présage ! Un mauvais présage ! pleurnicha-t-il.

Véronica fixa le magicien qui tremblait de la tête aux pieds.

– Grâce à vos pouvoirs, vous pouvez faire quoi ? demanda-t-elle ironiquement.

Crac !

Le plafond se voûta légèrement. Un rugissement s'éleva.

– Aaaah ! cria encore Randalf. Tout est perdu ! Sortez les canots de sauvetage ! Les magiciens et leur chapeau d'abord !

– Les canots de sauvetage ? ricana Véronica. Quels canots de sauvetage ? Norbert les a tous coulés.

– Faites quelque chose, hurla Randalf. Viiite ! On est attaqués !

Pendant ce temps, à Gobelinville, les magasins ouvraient leurs portes. Construits les uns au-dessus des autres – les plus chic en dessous, les moins chers au-dessus –, ils formaient des tours un peu branlantes. Chapelleries, quincailleries, boulangeries… En plein centre-ville, au-dessus de trois ou quatre autres boutiques de vêtements, se trouvait la friperie de Grubley. C'était un établissement sale et désordonné, où l'on trouvait les habits et les accessoires les moins chers de la contrée.

La boutique elle-même était déserte. Mais pas l'atelier de confection…

– Remets-toi au travail immédiatement ! ordonnait Grubley à un personnage trapu, aux oreilles poilues et aux sourcils qui se rejoignaient au-dessus de son gros nez.

– Ch'peux pas ! rétorqua le gobelin.

– Comment ça, « ch'peux pas » ? Si je ne livre pas cette commande avant midi, Boris Gronez va me réduire en charpie. Tu sais comment sont les ogres ! Alors au boulot ! Tout de suite ! Tu m'entends ?

Le gobelin grimaça.

– Oh oui, je vous entends, marmonna-t-il. Mais ch'peux pas. L'elfe machine à coudre veut pas !

Grubley tourna la tête vers le coin de la pièce. Un elfe était en train de nouer un petit baluchon.

– Qu'est-ce que tu fais ? rugit Grubley. Où est-ce que tu crois aller ?

– En vacances, répondit l'elfe calmement.

– En vacances ! Mais c'est impossible ! Tout le monde sait que les elfes adorent travailler. Ils ne prennent jamais de vacances !

– Eh bien, ça vient de changer ! riposta l'elfe en souriant jusqu'aux oreilles.

Il jeta son baluchon sur son épaule et, en sifflotant, se dirigea vers la porte.

Grubley, rouge de colère, restait sans voix.

Partout dans Gobelinville, la même scène se déroulait. À la queue leu leu, des elfes se dirigeaient vers les portes de la ville. Des elfes d'horloge, des elfes à coudre, des elfes de cuisine, des elfes interrupteurs et même des elfes sèche-linge. Ils poussaient des petits cris joyeux et échangeaient des salutations de leurs voix aiguës.

Sur le seuil de leurs maisons, les gobelins, les mains sur les hanches, regardaient leurs aides s'en aller. Comment allaient-ils se débrouiller sans eux ?

Les elfes, de plus en plus excités et de plus en plus nombreux, soulevaient un nuage de poussière sur leur passage. Ils portaient tous des petits baluchons, accrochés à des bâtons.

À l'extérieur de la ville, c'était pareil, les elfes messagers, ceux qui préparaient des bouillons de poule dans les nids-de-poule et tous les autres prenaient la route.

– Je ne suis jamais parti en vacances ! cria gaiement un des elfes.

– Moi non plus, lança un autre.

– C'est si excitant ! s'enthousiasma un troisième.

– Au bois des Elfes ! Au bois des Elfes ! chantonna un quatrième.

Dans l'immense chambre à coucher du baron Cornu, le maître des lieux – le baron Cornu en personne – était assis sur son immense lit. Un plateau était posé sur ses genoux, sur le plateau, une rose dans un vase étroit et un rond de serviette en argent gravé aux initiales BC. Une serviette tachée sur laquelle étaient brodées les mêmes lettres était coincée dans le col de son pyjama.

Le baron tenait un caramel mou dans une main et une tasse de chocolat chaud aux crachats dans l'autre. Il s'essuya les moustaches et secoua la tête.

Benson, qui venait d'être nommé majordome personnel du baron, ouvrait les rideaux.

– J'espère que messire a bien dormi, dit-il.

– Chrès biench, répondit joyeusement le baron en mâchant son caramel. Vraimench chrès biench.

Depuis que sa femme Ingrid avait été enlevée, le baron dormait comme un loir. Tous les soirs, au moment où sa tête casquée et cornue touchait l'oreiller, il fermait les yeux et s'assoupissait. Il ne s'éveillait que dix heures plus tard quand Benson lui apportait son petit déjeuner.

Il avala son bonbon.

– J'ai fait un rêve merveilleux.

Dans son sommeil, il avait vu sa femme Ingrid complètement chauve, attachée par les pieds et plongée dans une cuve emplie de lait de cochonnet puant. Il n'avait repris conscience qu'après que le dernier orteil d'Ingrid eut disparu dans l'écœurant liquide.

– … La demande de rançon ? entendit-il Benson s'enquérir.

– Quoi ? quoi ? sursauta-t-il.

– Je voulais savoir si messire avait répondu à la demande de rançon, répéta Benson.

– La demande de rançon, répéta machinalement le baron Cornu en laissant tomber un douzième sucre dans sa tasse.

– Oui, messire, la demande de rançon. Pour la baronne.

– Ah oui. J'ai mmmffflmbbb, marmonna-t-il en enfournant un deuxième caramel.

Il l'avala bruyamment avant de reprendre :

– J'ai essayé, mais je n'ai pas trouvé d'elfe messager.

Il se laissa aller contre ses énormes oreillers.

– Je m'en occuperai dès que possible.

Benson pinça les lèvres.

– Si je peux me permettre, messire, je vous rappelle que la demande de rançon menaçait de lui raser les cheveux si vous ne répondiez pas avant minuit aujourd'hui.

– Hmmmpff, soupira le baron. C'est terrible, vraiment terrible.

–Et de l'attacher par les pieds avant de la plonger dans une cuve remplie de lait de cochonnet puant.

Le baron sourit rêveusement.

–Quelle horreur ! Pauvre Ingrid, je ne peux pas supporter cette pensée… Bon, Benson, peux-tu aller me chercher un autre chocolat chaud aux crachats, s'il te plaît ? Celui-ci est froid. Et pendant que tu y es, rapporte-moi deux tartines moisies.

Le bois des Elfes grouillait d'elfes. Ils chantaient, sifflotaient et papotaient gaiement. Même s'ils avaient toujours aimé travailler, l'idée de prendre des vacances pour la première fois de leur vie les ravissait.

D'ailleurs, il ne s'agissait pas de vacances banales. C'étaient des vacances pour elfes : avec beaucoup de travail éreintant à accomplir. C'est du moins ce que promettait l'offre mystérieuse à laquelle ils avaient tous répondu.

–*Nous allons en vacances au bois des Elfes*, s'égosillaient-ils sans répit. *Nous allons en vacances au bois des Elfes ! Nous allons en vacances au bois des Elfes !*

–Oh ! La ferme, maintenant ! grogna un vieux chêne.

–Ce vacarme est insupportable, croassa un saule un peu plus loin.

–Faites-les taire ! grommelèrent d'autres arbres alentour en agitant leurs feuilles alors que les elfes enjambaient leurs grosses racines.

– Ils sont plus bruyants que des tronçonneuses déchaînées ! bougonna un hêtre.

– Parle pas de ça, Brett, frissonnèrent les arbres à côté de lui.

Depuis que le docteur Câlinou s'était installé dans la Clairière gloussante au beau milieu du bois des Elfes, des centaines de leurs amis avaient été découpés et transformés en placards, armoires et étagères. La vigne vierge – qui était une vraie commère – racontait à qui voulait l'entendre qu'il préparait à présent une énorme machine, entièrement faite de bois.

– Ce docteur Câlinou est responsable de bien des méfaits, lança le hêtre. Il... hé, descendez de là ! cria-t-il.

D'un mouvement de branche, il envoya valser une demi-douzaine d'elfes qui avaient entrepris d'escalader ses racines.

Leur chute fut amortie par l'humus. Ils roulèrent sur eux-mêmes, se remirent sur leurs pieds et reprirent leur route comme si de rien n'était.

Ils étaient des centaines à présent. Des milliers.

– C'est la foule ! gémit un élégant bouleau argenté.

– Je vais assommer ces affreuses petites créatures d'un bon coup de branche ! beugla un orme accroché sur la berge d'un ruisseau babillant.

– *Culottes en dentelle, pépites de chocolat, bananes grillées, artichauts chauds*, chantonnait le ruisseau.

– Et toi ! toi ! ajouta l'orme en colère. Arrête aussi ton boucan ou je te jure qu'un de ces jours...

Dans la Clairière gloussante, qui s'élargissait de jour en jour, une autre sorte de vacarme faisait rage.

Des bang ! bang ! bing ! bang ! régulièrement couverts par des cris suraigus accompagnés de soupirs résignés.

Dans la maison, l'oreille collée à la porte fermée, Quentin le Pâtissier décorateur écoutait. Il était en sueur, ses jambes tremblaient. Il ne savait pas combien de temps ses nerfs allaient encore tenir.

– Coupez la frange plus court ! Et plus droite ! Dépêchez-vous, crétin ! hurlait Ingrid.

Quentin frissonna. Cette voix ! Elle vous vrillait la tête et vous mettait les entrailles en compote.

– Imbécile ! rugit Ingrid. Et vous vous prétendez coif-feur ! Je me suis essuyé le nez avec des mouchoirs plus talentueux que vous ! J'ai dormi sur des matelas qui jouaient mieux du ciseau !

Quentin se boucha les oreilles.

« Pauvre docteur Câlinou », songea-t-il.

Mais il se reprit aussitôt :

– Enfin, tant qu'elle s'acharne sur lui, elle me fiche la paix.

Une heure plus tôt, le docteur Câlinou était entré chez la baronne, armé de ciseaux, d'un rasoir et d'un bol d'eau savonneuse. Il avait l'intention de mettre les premiers termes de sa menace à exécution. Mais manifestement, ça ne s'était pas déroulé selon ses prévisions.

Quentin ôta prudemment les mains de ses oreilles.

– Eh bien voilà, vous vous débrouillez très bien quand vous faites un effort, ronronnait Ingrid à présent. C'est beaucoup mieux. Je suis magnifique.

Elle laissa échapper un roucoulement.

– Vous ne me trouvez pas magnifique, docteur ? Vous êtes content quand je suis jolie, non ?

Quentin pâlit. Elle parlait gentiment ! C'est dans ces moments-là qu'elle était la plus dangereuse. De grosses gouttes de sueur perlèrent sur le front de Quentin. Encore quelques secondes et elle allait exiger quelque chose… et tous les elfes étaient occupés. Ce serait donc à lui, Quentin, de lui procurer ce qu'elle désirait. Il fut pris de spasmes nerveux. La veille, elle avait demandé des kilos de gelée de groseille ! Le jour précédent, de la laine de fer.

– Un bain de lait de cochonnet puant, hennit Ingrid de l'autre côté de la porte.

Quentin s'essuya le front.

– Oh, j'ai hâte ! Vous pourrez me frotter le dos, docteur Câlinou… et me masser les pieds…

La porte s'ouvrit brusquement. Quentin poussa un petit cri de surprise et sursauta. Le docteur Câlinou apparut sur le seuil. Seuls ses yeux bleu acier étaient visibles… le reste de son visage était dissimulé par sa capuche.

– Vous… vous… m'avez fait peur, maître… bégaya Quentin, le cœur battant. Je venais justement… vous demander… si… voulez-vous un gâteau Grobisou ?

– Il est pas l'heure de manger des gâteaux Grobisou, grommela le docteur Câlinou.

– Câlinou ! aboya Ingrid. Revenez vite avec ce bain de lait de cochonnet puant ! Je déteste attendre ! Vous n'avez pas oublié ?

– Comment aurais-je pu oublier ? marmonna le docteur Câlinou en levant les yeux au ciel. Vous avez bien envoyé la demande de rançon, Quentin ? gloussa-t-il nerveusement. Vous avez prévenu que nous avions l'intention de la tondre et de l'immerger dans un bassin empli de lait de cochonnet puant ?

– Et que nous lui chatouillerions la plante des pieds avec une plume ! Et que nous la fouetterions avec un poisson, interrompit Quentin. J'ai tout marqué ! Tout !

Le docteur secoua doucement la tête.

– Ce baron Cornu, grogna-t-il. Il va me payer cher cette dernière avanie !

– Câlinou ! hurla Ingrid. J'attends !

– J'arrive, ma beauté poilue, répondit le docteur Câlinou.

Il jeta un regard assassin à Quentin.

– Va chercher le lait de cochonnet ! Et ouvre le portail à nos visiteurs ! Et dis à Roger le Plissé que je veux immédiatement prendre connaissance de ses derniers plans ! Ah, bon sang ! Est-ce que je dois tout faire moi-même, ici ?

Au nord du bois des Elfes, une armée de couverts s'apprêtait à entamer la dernière phase de son voyage. Les couteaux aiguisaient leurs lames sur des pierres, les fourchettes affûtaient leurs pointes, les louches et les cuillers se polissaient entre elles.

Une petite cuiller, au manche orné, se tenait sur un rocher. Elle scintillait dans les rayons du soleil matinal.

Et tendait l'oreille.

Dans les lointaines Montagnes aux ogres, une voix rauque appela :

– Quelqu'un a-t-il vu Fluffy ? Il était là, il y a deux minutes ! Fluffy ? Fluffy ?

Mais le doudou d'ogre – un elfe à poils longs – avait disparu. Il escaladait un versant de la montagne aux ogres en sifflant, un baluchon sur l'épaule.

Sous le pont des Trolls, un troll cherchait son elfe trancheur de betteraves. En vain.

Et ailleurs…

– Vous croyez que c'est bon, maintenant ?

Il s'était passé cinq bonnes minutes depuis que le caillou avait cassé la vitre du bateau. Randalf sortit la tête du panier pique-nique. Il avait un gâteau Grobisou collé sur le front.

Il n'obtint pas de réponse.

– Vous êtes où ? demanda-t-il.

– On est là, mon gros, répondit Véronica.

Randalf se rendit sur le pont. Jean-Michel et Norbert étaient penchés par-dessus le bastingage. Ils regardaient à travers l'eau translucide de la cascade.

– Je n'avais jamais remarqué ça ! dit la perruche, perchée sur l'épaule de Norbert.

Jean-Michel fronça les sourcils et plissa les yeux. Oui, il y avait quelque chose dans la rivière. Pas quelque chose… quelqu'un.

– Regardez, dit-il. On distingue les épaules et les jambes. Et les cheveux rouges.

La silhouette leva un bras et l'agita. C'était un salut, à n'en pas douter.

– Il nous a vus ! s'exclama Jean-Michel.

Une voix féminine s'éleva soudain.

– Eh bien quand même ! J'ai balancé des graviers sur chaque bateau pendant une demi-heure et personne n'a réagi. Je commençais à croire que tous les magiciens avaient quitté le Lac enchanté.

– C'est pas faux, marmonna Véronica.

Jean-Michel posa les yeux sur le caillou qui avait atterri sur le pont. Ça ! Un gravier !

Randalf mit ses mains en porte-voix.

– Je suis un magicien, cria-t-il. Et vous ?

– Brenda, princesse guerrière, jetez-moi un sort de lévitation que je monte jusqu'à vous.

Jean-Michel rougit. Les épaules du personnage étaient larges et ses mollets musclés – sans parler de la voix forte et grave –, mais c'était à n'en pas douter une fille.

Randalf rougit aussi.

– Un sort de lévitation… un sort de lévitation…

– Je pense que Norbert et l'échelle de corde lui suffiront, souffla moqueusement Véronica.

Randalf se pencha sur le bastingage.

– J'ai… euh… égaré mon grimoire, Majesté, dit-il, mais j'ai une échelle et un ogre. Norbert, ordonna-t-il. Dépêche-toi, ne fais pas attendre notre invitée.

Après avoir coulé toutes les embarcations du Lac enchanté – y compris les baignoires et les éviers qui les avaient remplacées –, Norbert était devenu très imaginatif. Il monta sur un plateau auquel il amarra un grand saladier et, avec des spatules en bois, il rama jusqu'à la cascade.

Au bord du lac flottant, il jeta son échelle de corde. Jean-Michel la vit se tendre et le plateau s'enfonça dans l'eau.

Très rapidement, les tresses rouge feu de la princesse apparurent et elle se hissa jusque dans le saladier que Norbert avait prévu pour elle. Elle prit les spatules des mains de l'ogre et rama à toute vitesse vers le bateau de Randalf.

Le magicien l'accueillit :

– Je suis enchanté de faire votre connaissance, Majesté.

– « Enchanté », ricana Véronica. Même si votre vie en dépendait, vous ne seriez pas capable d'enchanter quoi que ce soit.

Brenda avait grimpé à bord, avait posé un genou sur le pont et inclinait la tête.

– Ignorez-la, dit Randalf, les yeux rivés sur la magnifique princesse. Et je vous en prie, relevez-vous.

Il s'essuya la main sur sa tunique avant de la tendre.

– Randalf le Sage, se présenta-t-il. Désirez-vous une tasse de chocolat chaud aux crachats ?

Brenda se redressa et serra vigoureusement la main de Randalf.

– Ravie de vous rencontrer, dit-elle en le suivant à l'intérieur.

Elle ajouta :

– Je crois que vous avez quelque chose collé sur le front, Rudolf…

– Un gâteau Grobisou, précisa Véronica en volant jusqu'à sa cage.

Elle se percha sur sa balançoire.

Randalf sécha une larme au coin de son œil – Brenda lui avait fait drôlement mal en lui broyant la main – et décolla le gâteau de son front. Il l'observa.

– Pas assez de glaçage à mon goût, Norbert.

Puis il s'adressa à la princesse :

– Que puis-je faire pour vous, ma chère Brenda ?

– Que pouvez-vous faire pour moi ? s'étonna la princesse.

Elle émit un petit rire de gorge.

– La question est : que puis-je, moi, faire pour vous ? Je suis une princesse guerrière, j'ai mené des centaines, des milliers de combats, j'ai combattu contre des sorcières, croisé le fer avec des orques. À présent, je vous propose mes services, ô puissant magicien.

Randalf rougit de contentement. Véronica secoua la tête. Norbert enfourna un gâteau Grobisou.

– Chaque fait héroïque, même le plus petit, compte, continua la princesse en dégainant son épée.

Jean-Michel remarqua sur la crosse huit encoches.

– Chaque marque représente l'accomplissement d'une quête, ajouta Brenda. Et il me reste de la place.

Jean-Michel écarquilla les yeux.

– Vous êtes une vraie princesse guerrière ! Nous partions justement en mission pour une quête.

Brenda haussa les sourcils.

– Mais qui êtes-vous ? lui demanda-t-elle.

– Jean-Michel Chanourdi, répondit Jean-Michel. Je…

– C'est Jean-Mi le Barbare, pépia Véronica. Notre super-guerrier. Vous voyez, on a déjà tout ce qu'il faut. La place est prise ! Alors vous pouvez rentrer chez vous, allez, salut !

– Un super-guerrier ? s'étonna Brenda.

Jean-Michel se recroquevilla. Il avait l'impression que le regard de Brenda le transperçait.

– En fait, commença-t-il, je...

– Allez, dis-lui, l'encouragea Véronica. Tu as vaincu des ogres, combattu des dragons, détruit des armoires...

– C'est vrai ?

Brenda semblait impressionnée.

– Oui, et il a même un écuyer, continua Véronica en montrant Henri du bout de l'aile. Griffu. Griffu le Féroce. Je suis sûre que vous n'avez pas envie de vous frotter à lui.

– Il s'appelle Henri, corrigea Jean-Michel d'une petite voix.

Brenda caressa Henri entre les oreilles. Il se coucha et offrit son ventre pour obtenir des chatouilles.

– Traître ! marmonna Véronica.

Brenda se redressa et tendit la main à Jean-Michel.

– Je suis ravie de faire ta connaissance, Jean-Mi le Barbare. C'est toujours un plaisir de rencontrer un valeureux super-guerrier. Parle-moi un peu de cette quête.

– Notre quête ! intervint Randalf. C'est juste un petit problème à régler à la Clairière gloussante. Joignez-vous à nous, si vous le désirez.

Le cœur du magicien faisait des bonds dans sa poitrine.

– Je vous propose les gages habituels. Un quart du trésor et tous les gâteaux Grobisou que vous pourrez manger...

Brenda sourit de ravissement.

– Du travail en perspective ! Parfait ! Mais je ne voudrais pas marcher sur les plates-bandes de Jean-Michel…

– Non, ne vous inquiétez pas ! s'empressa de la rassurer Jean-Michel. Après tout, nous aurons sûrement besoin de votre aide. Nous devons récupérer le Grand Grimoire qui est tombé entre les griffes d'un sinistre et dangereux personnage. En fait, le personnage le plus malveillant que le Marais qui pue ait jamais porté.

Brenda se tourna vers Randalf.

– C'est ça, votre « petit problème », Rupert ?

Randalf rougit et jeta un regard noir à Jean-Michel pour lui signifier qu'il aurait mieux fait de fermer sa grande bouche. Il ne voulait surtout pas risquer d'effrayer la princesse.

– Eh bien, oui, reconnut-il.

– Génial ! s'exclama Brenda.

Elle frappa dans ses mains.

– Vous pouvez compter sur moi.

– Vous acceptez de nous accompagner ? demanda Randalf qui n'osait y croire.

– Pas de problème ! assura Brenda. Quand partons-nous ?

Randalf bomba le torse.

– Vous savez ce qu'on dit : le plus tôt est toujours le mieux et pourquoi remettre à plus tard ce que l'on peut faire immédiatement !

Il secoua la tête.

– C'est ce que je répète tous les jours à Jean-Michel.

– Mais… protesta Jean-Michel.

– Ah, les jeunes d'aujourd'hui ! poursuivit Randalf en adressant un clin d'œil à la princesse. Vous savez comment ils sont. Peu importe ! Maintenant que vous êtes là, nous pouvons lever le camp.

– Mais Randalf… s'indigna Jean-Michel.

– Allons, Jean-Michel, l'interrompit le magicien. Tu as déjà perdu assez de temps.

Sur ces mots, il tourna les talons et suivit Brenda sur le pont. Norbert, Véronica perchée sur le haut de la tête, leur emboîta le pas.

Enfin ! pensa Jean-Michel. Enfin, une véritable princesse guerrière. Il n'allait plus être obligé de bluffer. Elle récupérerait le Grand Grimoire, libérerait les magiciens, rendrait Ingrid au baron Cornu et Jean-Michel pourrait rentrer chez lui.

– Oh oh ! entendit-il Randalf lancer.

Que se passait-il encore ? Qu'est-ce que Randalf allait encore inventer pour reporter cette quête ?

Quentin avait collé l'oreille à la porte de la chambre d'Ingrid.

– Oh, docteur Câlinou, ça chatouille, hi hi hi !

– Arrêtez de bouger, se fâcha le docteur Câlinou.

Il semblait au bord du désespoir. Quentin consulta son agenda : *12.30 : chatouille des pieds avec une plume d'oiseau dodo*, lut-il.

– Attention, gémit soudain le docteur Câlinou, attention, ne vous asseyez pas, non…

Ingrid poussa un cri de plaisir.

– Oh, grand fou ! Pourquoi non, pourquoi ?

– Aïe ! Ouille ! Aaaargh !

Un frisson parcourut Quentin. Avait-elle écrasé le maître ? Il frappa discrètement.

– Docteur Câlinou ?

– Entrez, roucoula Ingrid. Plus on est de fous, plus on rit !

– Non ! Non ! n'entre pas, cria le docteur Câlinou d'une voix étouffée. Je… j'arrive…

La porte s'ouvrit brusquement et le docteur Câlinou sortit de la pièce. Sa tunique à capuche était toute froissée, il claqua la porte derrière lui. Ingrid n'avait pas cessé son cinéma.

– Reviens-moi vite, mon Câlinou… Je suis sûre que tu n'as pas oublié ce qui s'est passé la dernière fois que tu as fait attendre Ingrid.

– Elle est folle ! souffla le docteur Câlinou en gloussant nerveusement. Complètement folle !

Il redressa la tête et ses yeux lancèrent des éclairs.

– Je t'aurai, baron Cornu ! Je me vengerai ! Tu regretteras le jour de ta naissance !

Quentin hocha la tête.

– J'ai des nouvelles, dit-il. Les premiers elfes sont arrivés.

– Excellent, Quentin ! Parfait ! Dis-leur de se rassembler dans la clairière. Installe-les comme il faut. Je leur ferai mon petit discours au coucher du soleil.

– Câlinou ! hurla Ingrid. Câlinou ! Tu n'as pas encore massé mon autre pied !

Le docteur Câlinou émit un grognement désespéré.

– Si tu as besoin de moi, Quentin, tu sais où me trouver…

– Câlinou ! Au pied !

– Après que Brenda est montée, Norbert a laissé tomber l'échelle ! dit Randalf.

Jean-Michel se pencha. En bas de la cascade, sur la rive, il aperçut l'échelle.

– Eh bien, nous aurons au moins essayé, soupira le magicien. Nous allons fabriquer une autre échelle et c'est tout. Ça ne devrait pas être trop long. Un mois ou deux, peut-être. En attendant, si nous allions boire un chocolat chaud aux crachats ?

– Un ou deux mois ! s'emporta Jean-Michel. Un ou deux mois ! Mais je ne peux pas attendre encore tant de temps !

– Et tu n'attendras pas, déclara Brenda.

La princesse guerrière prit immédiatement les choses en main.

– Norbert, apporte-moi la plus longue corde que tu aies à ta disposition. Rudyard, allez me chercher des cintres.

L'ogre et le magicien obéirent aussitôt. Quand Norbert revint avec la corde, Brenda montra à Jean-Michel comment l'attacher solidement à la cheminée du bateau. Elle attacha un caillou à l'autre extrémité de la corde et se mit à crier des ordres à un certain Sniffy qui semblait l'attendre au pied de la cascade.

Appuyé au bastingage, Jean-Michel avait regardé, sans comprendre, Brenda lancer le caillou. Que mijotait-elle ? se demanda-t-il.

Il y eut un bruit sourd, un feulement, et la corde se tendit.

C'est à ce moment que Jean-Michel comprit. Brenda venait de mettre en place un câble qui leur permettrait de descendre.

– C'est cool ! s'exclama-t-il.

– Très ingénieux, approuva Randalf. Comment n'y ai-je pas pensé moi-même ?

– Vous voulez vraiment une réponse ? lui demanda Véronica.

– Les cintres, c'est pour ne pas avoir mal aux mains, expliqua la princesse.

Elle prit Henri sur ses épaules.

– J'y vais la première, juste pour vous montrer comme c'est facile.

Randalf, Norbert, Jean-Michel et Véronica la regardèrent glisser et disparaître derrière la cascade.

– C'est super drôle, leur cria-t-elle, une fois en bas. À votre tour !

Norbert prit la suite avec Randalf sur son dos. Le magicien poussait des cris perçants. Ils atterrirent sans encombre.

C'était à Jean-Michel, à présent.

– Vas-y ! l'encouragea Brenda.

Jean-Michel serra la mâchoire. Il agrippa le cintre, ses genoux tremblaient.

– Courage, murmura-t-il pour lui-même avant de se lancer.

La vitesse était hallucinante. Jean-Michel comprit pourquoi Randalf avait crié. Mais lui devait se retenir ; après tout, n'était-il pas Jean-Mi le Barbare ? Et puis, que penserait la princesse ?

Ses pieds effleurèrent la cascade. Il fut aspergé. Il s'accrocha plus fort.

– Atterrissage imminent, se dit-il. Tiens bon !

Le paysage qui s'étendait sous ses yeux était magnifique : le ciel bleu, la forêt, la Rivière enchantée qui scintillait. Il aperçut Randalf, Norbert, Henri et Brenda qui l'attendaient. Et près d'eux une espèce d'énorme chat rose à rayures.

Jean-Michel toucha le sol violemment, lâcha le cintre et roula sur lui-même. Il se redressa et regarda les autres.

– C'était grandiose ! dit-il.

Henri lui lécha le visage.

– Bien joué, Jean-Michel, le félicita Norbert.

– Je suis content de voir que ça en a au moins amusé un d'entre nous, grommela Randalf en époussetant son chapeau.

– Oui, siffla Véronica. Et certains poussaient des cris de cochonnet rose puant qu'on égorge. Je n'ai jamais eu aussi honte de toute ma vie.

Brenda posa sa main sur l'épaule de Jean-Michel.

– Bravo. Je reconnais que j'avais des doutes à ton sujet, mais tu as accompli cette tâche sans faillir avec la détermination d'un véritable super-guerrier.

Elle lui donna une grande tape dans le dos.

– Nous allons faire une grande équipe. Le malveillant personnage dont vous m'avez parlé n'a plus qu'à bien se tenir !

Randalf se glissa entre Jean-Michel et Brenda.

– En fait, ce garçon n'était rien quand je l'ai rencontré. Je lui ai tout appris. Et vous savez ce qu'on dit : un bon super-guerrier doit tout à son professeur.

Brenda secoua la tête.

– Certaines choses ne s'apprennent pas, Ronald. La bravoure, par exemple.

Elle prit Jean-Michel par le bras.

– Viens, Jean-Mi le Barbare. Tu chevaucheras Sniffy à mes côtés.

Le gros chat ronronna quand Brenda monta sur la selle. La princesse aida Jean-Michel – qui portait Henri – à monter. Elle agita les rênes et ils partirent. Randalf s'était installé sur une épaule de Norbert. Véronica était perchée sur son chapeau.

– Tu n'es vraiment pas confortable, Norbert, grogna le magicien. J'ai l'impression d'être assis sur un rocher… Je suis sûr que si Jean-Michel se poussait un peu, il y aurait de la place pour moi sur le dos de Sniffy…

– Ronald, tais-toi ! lui lança Véronica.

– **P**asse-moi un autre gâteau Grobisou, s'il te plaît, Norbert, demanda Randalf.

Norbert, Véronica sur la tête, se pencha vers le panier posé en équilibre sur une touffe d'herbes. Il farfouilla dedans. La brume malodorante de la Mare odorante flottait autour d'eux et donnait une teinte rosée aux derniers rayons du soleil. Norbert tendit un gâteau jaune et vert à Randalf.

– Pas celui-là, refusa le magicien. Je veux le rose avec les cerises confites et les paillettes de chocolat.

Norbert fronça les sourcils.

– Quelqu'un a dû le manger, répondit-il.

– À moins qu'il ne soit collé sur votre front, ricana Véronica.

– Quelqu'un l'a mangé ! s'exclama Randalf. Mais je le voulais, moi !

Son éclat de voix provoqua une réaction immédiate : un cochonnet rose puant péta et une grenouille péteuse explosa.

– Qui l'a mangé ? poursuivit Randalf.

Véronica désigna Brenda du bec. La princesse était assise sur une touffe d'herbes un peu plus loin et discutait passionnément avec Jean-Michel.

– Elle, dit la perruche. Elle en a avalé une bonne demi-douzaine. Mais je vous rappelle que vous lui en avez promis autant qu'elle voulait.

Randalf hocha la tête et sourit tendrement.

– Oui, bien sûr. Une princesse guerrière a besoin de forces... Ce n'est pas grave, Norbert, donne-moi... Norbert !

L'ogre devint rouge écarlate et essuya les dernières miettes de gâteau sur son menton.

– Vous javez dich que voujen vouliez pach, bredouilla-t-il en crachotant.

– Oh ! Norbert ! s'écria Randalf.

– Y reste des sandwiches à la morve, murmura Norbert, tout penaud.

Une autre grenouille péteuse explosa près d'eux, deux cochonnets passèrent un peu plus loin en grognant. Jean-Michel et Brenda n'y prêtèrent aucune attention.

– Celle-ci, disait la princesse en montrant une des encoches creusées dans le manche de son épée, date de mon altercation avec la sorcière poilue. Ces créatures peuvent sentir extrêmement mauvais, tu sais ?

– Waouh, des sorcières poilues, lança Jean-Michel, de plus en plus impressionné par les aventures de la princesse, c'est dingue !

– Et celle-là, continua Brenda, a été faite à la suite d'un incident avec Harry et Larry. C'est un monstre à deux têtes. Il est terrible, il n'arrive jamais à se mettre d'accord avec lui-même. J'ai été obligée de lui cogner ses deux fronts l'un contre l'autre.

Elle rit.

– Ils ne sont pas près d'oublier Brenda la princesse guerrière.

– C'est dingue ! répéta Jean-Michel. Vous avez combattu tous ces monstres ?

– Eh oui, répondit Brenda, le regard lointain.

Elle se reprit.

– Mais c'est fini à présent. Je veux me poser un peu… Et trouver une petite maison confortable pour Sniffy et moi, ajouta-t-elle en hochant la tête vers son énorme félin rose à rayures.

Il était allongé à quelques pas, tout tremblant. En entendant son nom, il gémit plaintivement. L'humidité du lieu lui déplaisait. Henri, collé contre lui, lui lécha le museau et aboya.

– Oui, j'ai eu plus que ma part d'aventures, poursuivit Brenda. Maintenant, je veux prendre la vie du bon côté et Rudolf semble être un gentil magicien. J'espère seulement que ma présence ne te dérange pas, Jean-Michel.

– Oh, non ! se récria le garçon. Pas du tout, en fait. C'est Randalf qui nous a fait venir, Henri et moi, et il ne parvient pas à nous renvoyer chez nous. Si nous n'arrivons pas à récupérer le Grand Grimoire, je serai obligé de rester ici pour toujours et… et…

Son menton trembla, il se tut.

– Tu as le mal du pays, dit Brenda.

Jean-Michel acquiesça.

– Mes parents me manquent. Et les jumeaux et même ma sœur, Ella.

– C'est une princesse guerrière ? demanda Brenda.

Jean-Michel secoua la tête.

– Non, pas vraiment, mais si les regards pouvaient tuer, elle serait redoutable !

Brenda frissonna.

– Ça me rappelle Sybil la sorcière. Ses regards à elle pouvaient vraiment tuer.

Elle passa le doigt sur une autre encoche de son épée.

– Et je ne parle pas de son souffle.

– Sybil la sorcière, chuchota Jean-Michel, admiratif.

– Mais j'ai été plus forte qu'elle, dit Brenda en enlaçant les épaules de Jean-Michel de son bras musclé.

Elle le serra fort. Un peu trop fort.

– Ne t'inquiète pas, Jean-Michel, je ferai mon possible pour te ramener chez toi. Nous accomplirons cette quête !

Jean-Michel se libéra de son étreinte.

– J'attends depuis des semaines que Randalf se décide à partir ! Et ça fait à peine dix minutes que nous sommes sur la route que Randalf s'arrête pour pique-niquer !

– Ces gâteaux Grobisou étaient délicieux, dit Brenda en se passant la langue sur les lèvres d'un air gourmand. Mais tu as raison, nous allons lever le camp. Et tout de suite ! Le soleil se couche et je refuse de passer la nuit dans ce marais puant.

Elle se leva.

– Ralph ! Sniffy ! On y va !

– Déjà ? demanda Randalf, désappointé.

– Vous pouvez monter sur Sniffy et vous installer près de moi, proposa Brenda.

Randalf sourit jusqu'aux oreilles.

– Je vous suivrai au bout du monde, murmura-t-il.

Les elfes manquaient cruellement à Gobelinville. Plus personne ne se chargeait des corvées et la cité partait en quenouille. Les lampes à huile n'éclairaient plus, les lettres s'amoncelaient, le linge restait humide. Et comme aucune horloge ne fonctionnait, c'était comme si le temps lui-même s'était arrêté. Quant aux piles d'ordures au coin des rues, elles étaient chaque jour un peu plus hautes.

Dans les maisons, c'était partout la même histoire : plus d'elfes à coudre, plus d'elfes à raccommoder, plus d'elfes à laver... plus d'elfes du tout ! Les ateliers des boutiques étaient pareillement délaissés : modistes, ébénistes, quincailliers, tailleurs, etc.

Un magasin pourtant était encore en activité. Les gobelins peuvent être très travailleurs quand de l'argent est en jeu. Et le personnage à cornes qui essayait de nouvelles tenues possédait beaucoup d'argent.

— De quoi ai-je l'air ? demanda le baron Cornu en se regardant dans le miroir.

— Eh bien, répondit le miroir, vous êtes le plus élégant baron Cornu que j'aie jamais reflété.

— C'est vrai ?

— Parfaitement vrai ! affirma le miroir. Cette tenue vous va à ravir. On dirait qu'elle a été cousue sur vous.

Le baron Cornu se tourna à demi, sans quitter le miroir des yeux, cherchant à se voir sous tous les angles.

— Je ne suis pas sûr. Je n'ai jamais porté ce genre de chose.

— Je vous promets, messire, dit le miroir, vous êtes fantastique. Cette teinte lilas rehausse votre teint et

fait ressortir votre moustache.

De plus, les paillettes sont coordonnées à l'éclat de vos yeux.

Il fit une pause avant de reprendre :

– Messire a-t-il prévu de sortir ce soir ?

– J'ai pensé profiter de ma venue en ville pour visiter deux ou trois cabarets, répondit le baron évasivement.

– Je suis sûr que vous allez faire tourner les têtes, lança le miroir.

Le baron hocha la tête. Cette pensée lui plaisait. La boutique dans laquelle il se trouvait était très réputée et les prix des vêtements étaient excessivement élevés. En temps normal, le baron n'y aurait pas mis les pieds. Ingrid ne le lui aurait jamais permis.

Mais Ingrid – que ses chaussettes soient louées – n'était plus là. C'était tragique et sans doute pour toujours.

La vie du baron en était transformée. Il n'était plus obligé de faire ses courses chez Grubley, lequel l'avait non seulement fortement mis dans l'embarras avec cette histoire de rideaux chantants, mais ne vendait que des vêtements de piètre qualité.

Le baron se dévissa le cou.

– Vous êtes sûr que ça ne me fait pas des grosses fesses ?

– Au contraire ! s'exclama le miroir. J'étais justement en train d'admirer votre minceur, que ces collants mettent en valeur. Et la tunique à sequins vous élargit les épaules tout en affinant votre taille. C'est superbe ! Vous êtes superbe, messire !

– Vous m'avez convaincu, déclara le baron. Je prends le tout !

– Excellente décision, approuva le miroir. Et cela ne vous coûtera que deux cent cinquante gruaus d'or. Vous allez créer une émeute ce soir. À propos, où sortez-vous ?

Le baron pinça les lèvres. Deux cent cinquante gruaus d'or, c'était très cher… mais ça valait le coup.

– Le *Karine Kanaille et ses tartes à la crème rance* est très renommé, je crois, dit-il.

– Oui, tout à fait, s'extasia le miroir. Et j'ai entendu dire que leurs tartes à la crème rance sont délicieuses. D'ailleurs, je crois que Karine aura bien du mal à se retenir de vous tripoter comme de la pâte à tarte !

– Je suis marié ! se récria aussitôt le baron en rougissant.

(Si jamais Ingrid apprenait qu'il était sorti dans un club…)

– Ne vous inquiétez pas, messire, souffla le miroir, sur un ton de conspirateur, je suis une tombe…

À cet instant, la porte de la boutique s'ouvrit brusquement. Benson apparut, rouge et haletant.

– Ah ! vous êtes là, messire, dit-il, essoufflé. Je vous ai cherché partout.

– Que vous arrive-t-il, mon ami ? soupira impatiemment le baron. Vous ne me laisserez donc jamais une minute de tranquillité ?

Benson hocha la tête.

– Pardonnez-moi, messire, mais c'est très important.

Il sortit une lettre de sa poche.

– Nous avons de nouvelles nouvelles de la baronne.

– Des nouvelles d'Ingrid !

Le baron était pâle comme un linge à présent.

– Oui, la lettre a été livrée par une chauve-souris à plumes, acquiesça Benson.

Il tendit un parchemin à son maître.

– Ils menacent de la plonger dans un bain d'huile bouillante.

Le baron se mordit l'intérieur de la joue.

– Génial, marmonna-t-il dans sa moustache.

– Mais messire… protesta Benson.

– À présent, excusez-moi, l'interrompit le baron, je suis déjà en retard. Je dois encore faire polir mon casque et affûter mes cornes.

– Comme je le dis toujours, s'enthousiasma le miroir, ce sont les petits détails qui font la différence.

– Mais messire, essaya de nouveau Benson. Qu'allez-vous faire pour la lettre… pour Ingrid…

– Chaque chose en son temps, mon ami, répondit le baron. Après tout, on ne fait jamais rien de bon dans la précipitation.

Jean-Michel, Brenda, Henri, Sniffy, Norbert et Randalf continuaient leur quête. Les Montagnes aux ogres se profilaient à l'horizon. Non loin, des arbres étaient en vue.

Jean-Michel était perché sur l'épaule droite de Norbert et Henri trottinait à leur côté. Sur le dos de Sniffy, collé contre Brenda, Randalf avait, pour une fois, gardé les yeux ouverts pendant tout le voyage. Sur son visage était figé un immense sourire. On l'aurait cru peint. Randalf le Sage était au septième ciel.

– Racontez-moi encore la fois où vous avez combattu le dévoreur d'entrailles du Lagon noir. Répétez-moi comment vous l'avez baptisé, ronronnait-il. Oh,

Brenda, vous êtes si forte et si courageuse… et si intel-
ligente…

Brenda rit – «quel carillon enchanteur!», se dit
Randalf – et donna une grande tape dans le dos du magicien.

– Ouch, s'étrangla-t-il.

– Assez parlé de moi, Rodney! lança la princesse.
Dites-moi plutôt où se trouve la Clairière gloussante.

Randalf plissa les yeux pensivement. Il observa la
rangée d'arbres qui se rapprochait.

– Là, dit-il. Au milieu du bois des Elfes.

– Le bois des Elfes? demanda-t-elle. Des elfes,
comme… des elfes?

La princesse était devenue blanche comme un linge.

Clonk !
– Ouille ! se plaignit Randalf qui était de nouveau sur les épaules de Norbert.

Il essayait, en vain, d'éviter les branches.

Clonk !

– Ouille ! cria encore Randalf en se frottant le front. Regarde où tu vas, Norbert. Ça fait mal !

– Pardon, maître, s'excusa l'ogre.

Il se pencha autant qu'il put.

– C'est mieux comme ça ?

Clonk !

– Aïeeee ! gémit Randalf.

Le petit parapluie en haut de son chapeau était tombé.

– Laisse-moi descendre, maintenant, Norbert, je vais marcher ! ordonna-t-il.

Norbert obéit.

– Ah, c'est mieux ! dit Randalf en foulant les feuilles mortes qui jonchaient le sol. Allons, vous autres, pressez-vous un peu. Cette quête ne va pas s'accomplir toute seule !

Véronica vint se poser sur la pointe de son chapeau.

– Vous avez l'air bien pressé ! Je me demande comment ça se fait... Non, ne me dites rien... ça a sans doute quelque chose à voir avec la présence de cette princesse guerrière, montée sur son gros chat.

Randalf sourit aux anges.

– Elle est superbe, n'est-ce pas ?

Derrière eux, Jean-Michel tira sur la laisse d'Henri.

– Viens, mon chien. Si tu t'arrêtes pour renifler chaque arbre, on n'arrivera jamais !

Le soleil rasant irisait la frondaison. Les mûriers étaient couverts de fleurs, les feuilles rousses au sol craquaient sous les pieds. Le bois des Elfes resplendissait. Pourtant, Jean-Michel ressentait un vague malaise. Il avait l'impression d'être observé. Il se retourna. Brenda se tenait toujours à l'orée du bois.

– Que se passe-t-il ? lui demanda-t-il.

Il alla vers elle et la prit par le bras.

– Vous avez un problème ?

– Eh bien... commença Brenda.

– Oui ? l'encouragea Jean-Michel.

– C'est que... je ne sais pas comment te l'avouer...

Brenda semblait honteuse.

– Dites-moi, murmura Jean-Michel. Qu'est-ce qui vous tracasse ?

– Les elfes, répondit Brenda dans un souffle. Il y a des elfes dans le bois des Elfes...

Jean-Michel hocha la tête.

– Ben oui.

– Plein d'elfes, murmura Brenda, les yeux écarquillés.

– Que vous arrive-t-il, Brenda ? demanda Randalf qui était revenu sur ses pas. Pourquoi parlez-vous d'elfes ? Si vous pensez croiser des elfes dans le bois des Elfes, vous risquez fort d'être déçue. Il n'y a plus d'elfes ici depuis une éternité.

– C'est vrai ?

Les joues de la princesse guerrière avaient repris des couleurs.

– Eh oui, beaucoup de choses ont changé pendant votre longue absence, et le bois des Elfes est aujourd'hui le dernier endroit où vous pouvez trouver des elfes.

– C'est vrai ? répéta Brenda.

– Ils sont tous à Gobelinville, au pont des Trolls ou au château du baron Cornu, continua Randalf. Je suis désolé.

Brenda rit et rejeta ses cheveux roux en arrière.

– Aucune importance.

Elle donna une grande tape dans le dos du magicien.

– Allons, Raymond, en route. Montrez-nous le chemin de la Clairière gloussante.

Les petits poils situés à la base de la nuque de Randalf se hérissèrent délicieusement.

– Avec plaisir, articula-t-il.

Ils reprirent leur route à grands pas. Les oiseaux chantaient sur les branches, des petits animaux bruissaient dans les buissons. Une brise tiède agitait doucement les feuilles dorées.

– C'est vraiment joli, apprécia Jean-Michel.

– Il nous trouve jolis, marmonna une voix derrière lui.

Jean-Michel se retourna. Personne. Il avait dû rêver. Ou peut-être le vent jouait-il un tour à son imagination.

Ils arrivèrent dans une petite clairière. Randalf s'assit sur une souche. Il était rouge et essoufflé.

– Je n'en peux plus… lâcha-t-il. Je refuse d'aller plus loin, je suis épuisé… je…

– C'est pas vrai, ricana Véronica. Regardez-le. S'il fait trois pas de plus, il meurt sur le coup.

– Norbert, dit faiblement Randalf, dis-lui de se taire. Je n'en ai même pas la force.

– Véronica, tais-toi, obéit Norbert.

– La nuit tombe, observa Brenda, et cet endroit me semble idéal pour un bivouac. Nous dormirons ici et repartirons tôt demain matin.

– Je suis parfaitement d'accord, approuva le magicien en s'allongeant sur la souche. Brenda, occupez-vous du campement pendant que je reprends des forces.

– Le gros s'est assis sur tante Ethel, lança une voix derrière Jean-Michel.

– Quel voyou !

– Nous n'avons qu'à les ignorer et ils partiront.

Jean-Michel regarda autour de lui. Était-il en train de devenir fou ?

– Coucou, appela-t-il. Il y a quelqu'un ?

– Jean-Michel, cesse de faire l'imbécile, le gronda Randalf qui avait rabattu son chapeau sur son nez, et aide Brenda... Oh, ajouta-t-il en gémissant, mes chevilles sont terriblement enflées.

– Étends la couverture ici, ordonnait Brenda à Norbert. Et ensuite va chercher du bois pour le feu. Toi, Véronica, trouve des brindilles. Jean-Michel, ramasse des pierres et pose-les en cercle juste là.

Elle décrocha une petite marmite de la selle de Sniffy.

– Moi, annonça-t-elle, je vous concocte un petit plat pour le dîner.

– Dépêchez-vous, dit Randalf. Je me sens de plus en plus faible.

– Quel magicien de pacotille ! railla Véronica.

– On t'a demandé des brindilles, Véronica, grogna le magicien. Et des brindilles bien sèches, c'est le secret d'un feu réussi, n'est-ce pas, Brenda ?

– Tout à fait, Rudolf, acquiesça la princesse en prenant des carottes et des oignons dans les sacoches de Sniffy.

Vexée, Véronica voleta vers les arbres. Une hache sur l'épaule, Norbert la suivit. Jean-Michel commença à ramasser des pierres, mais il entendit de nouveau une voix qui, cette fois, chantonnait :

– *Une patate, deux patates, et yo ho ! un navet pourri…*

Jean-Michel décida d'en avoir le cœur net. Il se dirigea vers l'endroit d'où venait la voix. Là, non loin de la clairière où ils s'étaient installés, coulait un ruisseau. C'était lui qui chantait.

– *Ho ho hisse et ho, c'est un fameux navire, vraiment très très beau, ho ho…*

Jean-Michel secoua la tête. Eh oui, il était au Marais qui pue !

Soudain, il sentit que sa gorge était sèche et qu'il était assoiffé. Il se pencha vers le ruisseau, les mains en coupe… des doigts se serrèrent sur son poignet et arrêtèrent son geste. Jean-Michel leva la tête, c'était Brenda.

– Ne bois jamais de l'eau sans l'avoir fait bouillir auparavant. On ne sait jamais.

Elle remplit la marmite qu'elle avait apportée avec elle.

– On ne sait jamais quoi ? demanda Jean-Michel.

Mais Brenda n'eut pas le temps de répondre. Un cri de douleur s'éleva.

– Ouille, aïe, ouille ouille ouille !

– Il va payer pour ça ! cria une autre voix. Attends voir !

Brenda et Jean-Michel se précipitèrent vers la clairière. Randalf était toujours allongé sur sa souche.

– C'était vous ? s'écria Jean-Michel.

Randalf se redressa.

– Je croyais que c'était toi !

Ils se regardèrent et s'exclamèrent en chœur :

– Norbert !

À ce moment, l'ogre fit irruption. Il tenait serrée contre lui une grande brassée de bois qu'il laissa tomber où Jean-Michel avait installé les pierres. Puis il essuya son front en sueur.

– C'était pas facile, dit-il.

– Pourquoi fais-tu tout ce raffut, Norbert ? gronda Randalf. Je me suis inquiété.

– Mffffllmm blgffcttt !

C'était Véronica qui essayait de parler malgré les brindilles qu'elle portait dans son bec. À son tour, elle déposa son chargement à l'emplacement du feu, puis se tourna vers Brenda et lui demanda agressivement :

– Rappelez-moi… De quoi est mort votre dernier esclave ?

– Véronica, tu es insolente ! se fâcha Randalf. Ce n'est pas une façon de parler à une princesse guerrière !

Il regarda Brenda.

– Veuillez l'excuser, très chère, elle ne sait pas ce qu'elle dit.

– Oh que si ! insista Véronica. Je le pense, je persiste et je signe...

– Véronica, tais-toi ! la coupa Randalf.

– Hmmmpfff ! lâcha la perruche avant d'aller se poser sur une branche en hauteur.

Dès que le feu fut allumé, Brenda mit sa marmite dessus. Peu de temps après, assis sur la couverture, tous dégustaient la soupe. Le vent était tombé, les pleines lunes brillaient.

Véronica picorait ce qu'elle trouvait près du feu ; Jean-Michel avait posé sa main sur le cou d'Henri ; Sniffy, pelotonné près des flammes, ronronnait bruyamment. Brenda, assise en tailleur, polissait son épée.

Randalf posa son bol et regarda la princesse.

– Racontez-nous encore vos aventures, princesse, s'il vous plaît.

Il s'allongea sur la couverture et soupira :

– Ah, c'est plus confortable que mon lit royal !

– Vous voulez entendre d'autres aventures ? dit Brenda en examinant la lame de son épée à la lueur du feu. Eh bien…

– Trop tard ! Il dort ! dit Véronica.

Randalf ronflait. Brenda sourit.

– Il ne se refuse jamais un petit somme, hein ? dit-elle. Mais après tout, il a raison. Nous avons tous besoin d'une bonne nuit de sommeil. Sniffy va monter la garde.

Le gros félin à rayures s'étira voluptueusement et se leva. Henri aboya et le rejoignit.

Jean-Michel s'étendit sur la couverture, les mains derrière la tête, et regarda le ciel étoilé. Quelle journée ! Enfin, sa quête avait commencé.

Les ronflements de Norbert ne tardèrent pas à se joindre à ceux de Randalf. Véronica, dans son sommeil, poussait de petits piaillements. Jean-Michel ferma les yeux. La rivière continuait de babiller :

– *Ferme la porte, ouvre le hamster. Rhubarbe, rhubarbe, pardonnez-moi, Votre Altesse…*

Désormais habitué aux bizarreries du marais, Jean-Michel esquissa un sourire. Ah! Le Marais qui pue! Quel drôle d'endroit…

Brenda rengaina son épée et s'allongea à son tour.

– Quelle horreur! murmura une voix indignée. Ils sont en train de brûler un morceau de la grand-tante Lavinia!

– Et même que ça envoie des étincelles partout! C'est très dangereux! dit une autre.

– Attends de voir, fit écho une troisième. On va leur montrer de quel bois on se chauffe!

Si Jean-Michel avait entendu ces voix, il aurait compris qu'elles ne venaient pas de la rivière. Mais il dormait déjà profondément.

Les pleines lunes éclairaient la Clairière gloussante. Des centaines d'elfes fluets étaient rassemblés. Ils papotaient, riaient, allaient et venaient, tout excités. Ils s'étaient mis en rang devant un podium, sur lequel avaient été disposés un lutrin et sept chaises.

– J'ai tellement hâte, lança un elfe.

– Moi, c'est simple, renchérit un autre, je n'en peux plus d'attendre!

Bientôt, tous les elfes répétaient les mêmes mots, l'impatience les gagnait. Soudain une silhouette anguleuse, vêtue d'un collant à paillettes et d'une queuede-pie rouge sauta sur le podium et tapa dans ses mains. C'était Quentin.

– Bienvenue ! commença-t-il.

Aussitôt, les elfes se turent.

– Bienvenue à la Clairière gloussante pour des vacances comme vous n'en avez jamais connu.

– Hourra ! crièrent les elfes de leurs voix aiguës.

– Vous aurez un travail éreintant !

– Hourra !

– Des tâches et des corvées épuisantes !

– Hourra !

– Un labeur éprouvant !

– Hourra !

– Et grâce à qui ? Grâce à quel être merveilleux allez-vous pouvoir bénéficier de tous ces avantages ? Celui que vous attendez tous de rencontrer en chair et en os. Le seul, l'unique… docteur Câlinou de la Clairière gloussante !

Une rumeur d'approbation parcourut la foule. Le docteur Câlinou apparut, drapé dans sa longue tunique noire. Il grimpa les marches et se dirigea vers le lutrin en aca-jou sculpté. Ses yeux bleus étincelaient férocement ; son visage, dans l'ombre de sa capuche, n'était pas visible.

Le docteur Câlinou hocha la tête.

– Merci Quentin, dit-il.

La silhouette à paillettes rougit imperceptiblement.

– Je vous ai promis du travail et vous allez en avoir ! reprit le docteur Câlinou d'une voix forte.

– Hourra ! crièrent de nouveau les elfes.

– Je vous engage dans la plus grande entreprise de tous les temps. Vous allez édifier une imposante construction, couper des arbres…

– Voilà qu'il recommence, marmonna une voix dans la forêt.

– Il a besoin d'une bonne leçon, lança une autre.

– … Vous allez débiter les troncs et réaliser mon plan ultra-top-secret, continuait le docteur Câlinou avant de se tourner vers son homme à tout faire. Quentin ? Les plans !

– Oui, tout de suite, messire, bafouilla Quentin. Allez, montez !

Sept magiciens, tous vêtus de longues tuniques et coiffés de chapeaux pointus, obéirent. Chacun avait

un rouleau de parchemin à la main. Ils prirent place sur les sièges. Les lunes firent scintiller les chaînes qui les reliaient entre eux.

Le premier sur la gauche était Roger le Plissé, à côté de lui, Bertram l'Incroyablement Poilu et son frère, Boris le Chauve. Puis venaient Éric le Moucheté, Ernie le Ratatiné, Melvyn le Mauve et, enfin, Colin l'Indescriptible.

Les yeux du docteur Câlinou flamboyèrent.

– Merci Quentin, dit-il de nouveau.

Mais dans sa voix, sonnait comme une promesse de menace.

– Ce plan ultra-top-secret, expliqua-t-il, a été séparé en sept parties. Vous formerez donc sept équipes et

chaque équipe sera dirigée par un magicien. Quand toutes les parties du plan seront réalisées, moi, expert en la matière, je n'aurai qu'à les rassembler !

Le docteur Câlinou, dressé sur la pointe des pieds, bombait le torse.

– Vive notre expert ! crièrent les elfes.

Un tonnerre d'applaudissements retentit, mais soudain, une voix perçante s'éleva :

– Câlinou !

L'étincelle dans les yeux du docteur Câlinou vacilla.

– Ingrid, marmonna-t-il.

Il se tourna vers Quentin.

– Vas-y. Elle t'aime bien !

– C'est vous qu'elle demande, protesta Quentin. Si vous ne vous présentez pas en personne, elle sera très déçue.

Les magiciens ricanèrent dans leur barbe.

– Câlinou ! Tu sais que je déteste attendre ! reprit la voix aiguë. Est-ce que les huiles sont prêtes ? Est-ce que l'eau est assez chaude ? J'ai hâte de prendre mon bain !

Le docteur Câlinou grogna. Son regard se durcit et il ordonna aux elfes d'une voix dure :

– Au travail, maintenant ! Et que ça saute !

– Vite, réveillez-vous, nous sommes encerclés !

Brenda avait été éveillée par le feulement craintif de Sniffy et les aboiements d'Henri. En ouvrant les yeux, elle avait découvert que leur campement s'était transformé en prison. Pendant la nuit, les arbres s'étaient rapprochés et la clairière était à présent à peine plus grande que la couverture de Norbert.

Brenda se leva, Norbert ouvrit, un par un, ses trois yeux. Véronica sortit sa tête de sous son aile, Jean-Michel s'étira et regarda autour de lui.

– Que… que se passe-t-il ?

– On dirait que nos animaux de combat se sont montrés moins vigilants que prévu, soupira Brenda en secouant la tête.

– Mais on dirait que les arbres ont bougé ! s'écria Jean-Michel.

– Le petit est enfin réveillé, dit une voix.

– C'est l'arbre qui a parlé, lança Norbert.

– C'est ce grand-là qui m'a cassé une branche, cria une petite voix.

– À moi aussi ! À moi aussi ! entonnèrent en chœur d'autres voix.

Brenda fronça les sourcils.

– Je n'aime pas ça. Je n'aime pas ça du tout. Peut-être que Robert va réussir à lancer un sort pour éloigner ces arbres.

– J'y compterais pas trop, dit Véronica en voletant au-dessus d'elle. Ce qu'il vous faut, c'est une paire d'ailes !

– Hé, y en a un qui s'échappe, prévint un petit bouleau.

– C'est juste la perruche, le rassura son voisin. Ça n'a aucune importance !

– Aucune importance ! piailla Véronica en se posant sur la tête de Norbert. Je vous ferais remarquer que je suis le personnage le plus important de cette quête.

– C'est le gros, là, qui est responsable de tous ces dégâts. Celui qui dormait sur tante Ethel ! tonna un chêne.

Sur ces mots, il bombarda Randalf d'une pluie de petits glands durs comme des pierres. Le magicien s'éveilla en sursaut.

– Ouille ! Aïe ! Ouch !

– Ça lui apprendra à promener sa graisse dans le bois des Elfes, se réjouit un châtaignier.

Randalf se leva et posa dignement son chapeau sur sa tête.

– Il y a, je crois, un malentendu, commença-t-il. Nous avons entrepris une quête et nous nous sommes juste arrêtés pour camper.

– Camper ! Il est culotté, celui-là ! s'indigna un frêne. Et il dirait quoi si on venait chez lui pour mettre le feu à sa barbe !

– Et nous asseoir sur sa tante Ethel !

– Sûr qu'il aimerait pas ça ! Allez, vas-y, Bert, donne-lui un coup de branche !

– Mais qu'est-ce que vous attendez, Ronald ? s'impatienta Brenda. Jetez-leur un sort.

– S'il pouvait ! soupira Véronica.

– Véronica, tais-toi ! dit Randalf. Rends-toi utile au lieu de rester perchée comme une bécasse. Va chercher de l'aide.

– De l'aide ? ricana la perruche. Des bûcherons ? Ou des piverts ?

Brenda brandit son arme. Norbert serra sa hache, Jean-Michel sortit son épée et fit un pas en arrière. La clairière devenait de plus en plus petite.

– Ils croient nous faire peur avec ce genre de truc ! se moqua un vieux sureau. On est bien trop nombreux, espèces d'idiots !

– C'est pas vrai… se lamenta Randalf. Pourquoi me suis-je laissé entraîner dans cette stupide mission contre le docteur Câlinou ? Quel idiot j'ai été !

Il éclata en sanglots.

– Contre le docteur Câlinou ? s'exclama un arbre, surpris. Il a bien dit qu'il voulait se battre contre le docteur Câlinou ?

– Mais oui, c'est ce qu'il a dit !

– Parfaitement, moi aussi, j'ai entendu.

– Mais c'est fantastique ! On devrait peut-être les laisser partir !

Randalf cessa de pleurer et leva les yeux. Dans un bruissement, les arbres reculaient. Ils ouvrirent un chemin pour les six compagnons. Randalf ramassa son chapeau et redressa le menton.

– Je vous avais dit qu'il s'agissait d'un malentendu, dit-il à Brenda.

Véronica se posa sur son chapeau.

– Pour une fois, je suis admirative, lâcha-t-elle. Vous avez réussi à éloigner ces arbres.

– Norbert, Jean-Michel ! appela Randalf. En route ! Un travail important nous attend à la Clairière gloussante.

– **V**as-y ! Vas-y !
– Jette-le-lui !
– Sur la tête ! Sur la tête !

Tout le monde criait. Une voix couvrit les autres.

– Allez-y, j'attends !

Il y eut un bref silence, aussitôt suivi d'un *splatch*.
La foule applaudit de toutes ses forces.

Le baron Cornu, qui se tenait à l'extérieur du cabaret, se tourna vers son majordome.

– L'ambiance est au rendez-vous, on dirait.

– Oui, messire, acquiesça Benson. Mais comme je
vous le disais, nous avons reçu une nouvelle demande
de rançon. Vous devriez la lire... Cette fois, leurs
menaces sont vraiment ignobles. Ils vont commencer
par ses ongles de doigts de pied, puis ses ongles de
main et ensuite...

– Très bien, Benson, très bien, répondit distraitement le baron Cornu.

Il venait d'entendre un deuxième *splatch*, suivi du rire de la foule. Il tournicota l'extrémité de sa moustache, redressa son casque à cornes lustré et remonta son collant à paillettes.

– Karine Kanaille, me voilà ! annonça-t-il en poussant la porte.

La chaleur, le bruit et le parfum douceâtre des desserts à la crème rance créaient une atmosphère qui avait rendu depuis longtemps le club de Karine Kanaille unique en son genre. Le baron écarquilla les yeux devant l'immense salle.

– Merveilleux… murmura-t-il.

Des gobelins étaient assis sur des tabourets, attablés en rangs d'oignons, des gobelins servaient des tourtes à la morve, des tartes à la bave et des bols emplis de mixtures gélatineuses multicolores ; d'autres jouaient des percussions sur des instruments dégoulinants de crème pâtissière et de pudding gluant. L'endroit était grouillant de gobelins.

Au bar, des clients essayaient d'attirer l'attention du serveur – un gobelin très digne qui portait une chemise blanche et une cravate noire – en hurlant leurs commandes et en se poussant du coude. Dans un coin, un individu au visage sombre et à l'air mélancolique tournait la manivelle d'une barrique à musique et emplissait la taverne d'une mélodie sautillante.

Au plafond, tournait une boule à facettes.

– C'est super top ! s'extasia le baron en souriant jusqu'aux oreilles. C'est délicieusement canaille.

Il soupira.

– Ingrid détesterait.

– À propos, en profita Benson en lui agitant la demande de rançon sous le nez, nous devrions peut-être…

À cet instant, un gnome vêtu d'une longue jaquette tachée et d'un pantalon à rayures repoussant de saleté apparut devant eux.

– Bonsoir, lança-t-il chaleureusement. Bienvenue chez Karine Kanaille, la reine de la crème rance. Je ne crois pas vous avoir déjà reçus dans notre établissement.

– C'est la première fois que je viens, acquiesça le baron.

– J'en étais sûr, sourit le gnome. Je n'oublie jamais un visage... et je me serais certes souvenu de votre superbe casque.

– Je viens de le faire polir, dit fièrement le baron, et j'ai fait aiguiser les cornes !

– Splendide ! admira le gnome. Voulez-vous que je le dépose en sécurité dans notre vestiaire ?

– Certainement pas ! Je ne me sépare jamais de mon casque. Après tout, je suis le baron Cornu !

Le gnome écarquilla les yeux.

– Le baron Cornu ! J'aurais dû le deviner ! s'exclama-t-il. Le baron Cornu ! Quel honneur, messire, pour notre établissement !

Il tendit une main crasseuse.

– Swarm, pour vous servir, messire.

Le baron hocha la tête. Swarm émit un gloussement.

– Le baron Cornu ! Le baron Cornu lui-même ! Je n'arrive pas à y croire ! Passez ce bavoir, messire, et veuillez me suivre, je vais vous donner la meilleure place. Juste dans la ligne de tir.

Il tourna les talons.

– Veuillez me suivre.

Benson leva les yeux au ciel.

– Qu'est-ce qu'on fait ici ? Mais qu'est-ce qu'on fait ici ?

Swarm les entraîna vers le bar. Un ogre en caleçon jaunâtre se fraya un passage dans la foule et s'accouda au comptoir.

– Qu'est-ce que ce sera pour monsieur ? lui demanda le barman.

– Une crème rance double meringue, commanda l'ogre.

– Tout de suite ! aboya le barman en versant une mixture épaisse dans un grand verre.

Il ajouta de la meringue, décora avec une cerise confite et balança le tout dans le visage de l'ogre.

Splatch !

– Délicieux ! s'écria l'ogre, ravi.

Il posa une pièce sur le bar.

– Gardez la monnaie.

– Merci monsieur, dit le barman en empochant la pièce.

Puis il lança :

– Au suivant !

Tout le monde se mit à crier.

– C'est à moi !

– C'est mon tour !

– J'étais là avant.

– Arrêtez de pousser !

– Une crème à la morve avec paillettes de chocolat !

– Désirez-vous consommer tout de suite, messire ? demanda le gnome au baron Cornu.

– Oui. Deux crèmes spéciales Gobelinville !

– Tout ce que vous voudrez, messire.

Il passa la commande au barman en ajoutant :

– Tu les serviras à la grande table.

Puis il fit signe au baron de continuer à le suivre et se dirigea vers une arrière-salle légèrement surélevée.

La grande table était occupée par six matrones en robe de soirée et bijoux. Swarm les fit déguerpir et mit une nappe sur la table.

– Prenez place, votre grandeur. Le spectacle ne va pas tarder à commencer.

Benson s'assit en face du baron. Un morceau de riz au lait aromatisé aux ongles de pied lui frôla l'oreille droite et de l'entremets à l'ail et à la framboise lui siffla à l'oreille gauche.

– On dirait que le spectacle a déjà commencé, observa le baron.

– Oh, ça ? Non, ce n'est rien. Le meilleur est à venir, dit le gnome.

Un serveur – dégoulinant de gâteau de semoule au chocolat – leur apporta leur commande.

Swarm s'inclina obséquieusement.

– Avec les compliments de la maison.

– Merci, dit le baron.

Puis il regarda Benson et cria :

– Hé, tu as de la crème dans les yeux !

Et il lui balança le contenu de son verre en pleine face.

– Blarf, blorf, crachota Benson en s'essuyant avec son bavoir. Vous êtes trop bon, messire. À mon tour !

Il prit son verre et aspergea le baron.

– Miam, se régala ce dernier. C'est classe ! Deux autres ! Tout de suite ! demanda-t-il au serveur.

Le serveur s'éloigna. Les yeux du baron brillaient d'excitation.

– J'ai retrouvé ma jeunesse ! s'écria-t-il. J'avais presque oublié à quoi ressemblait un samedi soir à Gobelinville ! Savez-vous, Benson, que je portais les cheveux longs ?

– Non, messire, je l'ignorais.

– Bien sûr, c'était au temps où j'avais encore des cheveux. Ça va peut-être vous étonner, mais, à l'époque, j'avais beaucoup de succès auprès des femmes.

– Vous avez raison, messire, ça m'étonne.

– Une jeune gobeline, en particulier, poursuivit le baron, était folle de moi.

– C'était avant que vous rencontriez la baronne, je suppose.

– Évidemment, Benson, évidemment, répondit le baron, le regard perdu. Quand j'ai rencontré Ingrid, j'ai tout de suite su que mes soirées crème rance étaient terminées.

Le serveur réapparut.

– Deux crèmes spéciales Gobelinville ! annonça-t-il.

– Pour nous, lança le baron.

La musique devint soudain plus forte et plus rapide. Des commandes fusaient partout dans la salle :

– Une crème au caramel puant !

– Une tournée de lait de souris échassière !

– Une crème à la gobelin !

Les crèmes, les tartes et les cris de plaisir volaient dans tous les sens.

Une tarte se planta sur une des cornes du casque du baron.

– C'est de mieux en mieux ! s'enthousiasma-t-il. Il y a une ambiance du tonnerre.

Il regarda les verres que le serveur leur avait apportés.

– Voulez-vous commencer cette fois, Benson ?

Le majordome n'eut pas le temps de répondre. Les lumières s'éteignirent. Un spot éclaira aussitôt le fond de la taverne. Des rideaux de satin rouge s'ouvrirent doucement.

Tout le monde retenait son souffle.

La musique s'arrêta et reprit, plus langoureuse. Une troll potelée se trémoussait à présent sur la scène.

– C'est elle !

– Karine Kanaille !

Resplendissante dans un fourreau à paillettes (orné d'une magnifique tache de crème au niveau de la hanche), des plumes d'oiseaux dodos dans les cheveux, elle commença à descendre les marches.

Arrivée en bas, elle se tourna vers le lugubre joueur de barrique à musique.

– Joue-la encore, Spam, susurra-t-elle.

Il tourna de nouveau sa manivelle et Karine Kanaille commença à chanter.

Tu fais trembler ma crème, bébé,
Tu m'agites comme de la gelée,
J'adore ton caramel, bébé,
Quand tu me marches sur les pieds

Karine Kanaille déambulait entre les tables. Çà et là, elle s'arrêtait devant un client, lui ébouriffait les cheveux, lui pinçait le menton ou lui enfonçait la tête dans sa tarte à la crème rance. À chaque fois, la foule applaudissait. Elle aurait pu les faire manger dans sa main.

– *Oh mon bébé, mon bébé…* roucoulait Karine de sa voix légèrement voilée.

Le baron retenait sa respiration.

– *Mon bébéééééééé…*

Karine s'approchait de sa table. Ses joues étaient en feu. C'était comme si Karine ne chantait que pour lui.

– *Oh oui, bébéééééé…*

Elle posa une main sur son épaule en tenant la note. Elle passa ses doigts sur son casque brillant, se tut soudain, se pencha vers son oreille et gémit presque :

– *Marche-moi sur les pieds, mon bébé…*

– Bravo ! rugit le baron en applaudissant de toutes ses forces. Bravo !

Karine Kanaille lui prit le menton et tourna son visage vers elle. Leurs yeux se croisèrent.

– Toi ! s'étrangla le baron.

Il était quatre heures du matin. Déjà, des cochonnets roses puants se baignaient dans le marais et les premières chauves-souris à plumes voletaient dans les cieux sans nuage. Il n'y avait pas un souffle de vent. La journée s'annonçait douce.

À la taverne de Karine Kanaille, la soirée prenait fin. La plupart des clients étaient partis se coucher et les serveurs avaient commencé le ménage, à grands jets de décapant. Un ogre et deux gobelins étaient encore appuyés au comptoir.

– Encore une crème ! demanda l'ogre d'une voix pâteuse.

– Non, vous en avez eu assez ! refusa le barman qui essuyait les verres avec un torchon sale.

– Allez, mon pote, insista l'ogre.

– Le bar est fermé ! coupa le barman. Et je ne suis pas votre pote. Rentrez chez vous ! Vos femmes doivent vous attendre.

L'ogre haussa les épaules

– Ouais, cha ch'est chur.

Il se leva, aussitôt imité par les gobelins.

– Ch'éytait une bonne choirée, articula-t-il avant de glisser dans une flaque de gâteau de semoule à la morve.

Il tomba sur les fesses et se lécha les doigts.

– Une chuper bonne choirée, répéta-t-il.

Dans son coin, le joueur de barrique à musique continuait à tourner sa manivelle mais plus doucement. À la grande table, Karine Kanaille était assise sur les genoux du baron. Tous deux riaient et gloussaient.

– Je n'arrive toujours pas à y croire, dit le baron. Après tout ce temps…

– Oh oui, je sais, pépia Karine.

– Oh, Fifi ! soupira le baron en serrant la main de la troll. Comment ai-je pu être si bête ?

Karine secoua la tête.

– C'était le destin, Walter, dit-elle. Après tout, tu étais riche et tu avais la contrée à tes pieds… Je n'étais qu'une jeune troll née du mauvais côté du pont des Trolls…

– Mais Fifi, tu avais tant de projets. Tu voulais faire fortune dans la betterave et devenir riche. Que sont-ils devenus, tous ces rêves ?

– Oh Walter, j'ai essayé, crois-moi. J'ai fait de mon mieux, mais j'ai fini par accepter que je n'étais pas assez douée. Il me manquait l'essentiel.

– Mais Fifi…

– Tu ne peux pas imaginer comme il est difficile pour une faible femme de faire sa place dans l'impitoyable univers de la betterave. Le troll est un loup pour le troll, il y a une pression constante et je ne parle pas des charançons de la betterave...

– Des charançons ! s'exclama le baron.

– Je t'ai dit que je ne voulais pas en parler, soupira Karine Kanaille. De toute façon, tout ça, c'est du passé. Quand j'ai enfin admis que je n'étais pas faite pour la betterave et vice versa, je suis venue à Gobelinville. Je voulais commencer une nouvelle vie. Je me suis mise dans la crème pâtissière et j'y suis restée.

À l'autre bout de la table, Benson laissa échapper une espèce de gargouillis. Il s'était endormi, la tête dans un bol de crème.

Le baron ricana.

– Je l'avais prévenu de ne pas abuser.

– Bien sûr, j'ai dû changer de nom, poursuivit Karine. Si ma véritable identité était connue, je ne pourrais plus jamais retourner au pont des Trolls. C'est ainsi que Karine Kanaille est née.

– Pour moi, tu seras toujours Fifi, affirma le baron en la serrant contre lui.

Il secoua de nouveau la tête tristement. Il ne pouvait s'empêcher de penser à tout ce qu'ils avaient raté. Soudain, il redressa le menton.

– Fifi, je veux que tu viennes avec moi.

Karine renifla.

– C'est impossible ! Je ne suis qu'une chanteuse de cabaret et toi tu es le baron Cornu et tu règnes sur la contrée. Ça ne marchera jamais. Nous le savons tous les deux.

Ses yeux se remplirent de larmes.

– Il est trop tard !

– Mais non, essaya de la consoler le baron. J'ai un joli jardin derrière le château. On peut y faire pousser des betteraves. Je t'aiderai à t'échapper de ce cabaret. Nous recommencerons à zéro…

– Oh, chéri, dit Karine. Tu le crois ? Est-ce possible ? Tout cela ressemble tellement à un rêve !

– Un rêve que nous pouvons transformer en réalité, lança le baron en se levant. Benson !

Le majordome se redressa et essuya la crème sur son visage.

– Messire ? marmonna-t-il.

– Nous partons, Benson. Prenez le manteau de Karine Ka…

Il s'interrompit.

– … le manteau de Fifi, se reprit-il.

Benson fronça les sourcils.

– Mais messire…

– Pas de mais, Benson, trancha le baron. Faites ce que je vous dis !

—**M**ets la bouilloire sur le feu, Maman. Ça va bien avec tes yeux... la lune ressemble à une prune.

Randalf regarda Norbert, dont les yeux étaient devenus vitreux.

—Norbert! s'écria-t-il. Tu n'as pas... tu n'as quand même pas...

Véronica hocha la tête.

—Je crois bien que si.

—Une pièce de huit, continua l'ogre. Une pièce de huit... neuf... bouteilles vertes qui courent dans l'herbe.

—Tu n'as quand même pas bu l'eau du ruisseau? répéta Randalf.

Norbert acquiesça tristement.

—Pas après que je te l'ai interdit, quand même, soupira Randalf. C'est tout ce qui nous manquait, un ogre atteint de babillite aiguë.

– Tartes à la boue et piques en bois… je suis désolé, parvint à s'excuser Norbert entre deux babillages. J'avais tellement soif… vendredi, samedi, l'enfant du samedi est plein de gâteau.

Il fit une grimace, se plaqua les mains sur la bouche et roula les yeux.

– Ne t'inquiète pas, le rassura Brenda. Ça ne dure pas.

– Mais quand est-ce que ça va s'arrêter ? demanda Norbert à travers ses doigts. Quand, cancan, french cancan ?

– Après l'appel de la nature, lança gaiement Brenda en donnant une grande tape dans le dos de Norbert.

Jean-Michel rit.

Norbert ôta sa main de devant sa bouche.

– Vous voulez dire quand je serai allé faire pipi ?… pipi, pie qui chante, pie qui boite…

– C'est exactement ça, Norbert, dit Randalf. Et en attendant, je te serais reconnaissant de ne pas ouvrir la bouche. Le silence est indispensable à la bonne marche d'une quête. Et tu veux réussir cette quête autant que nous, n'est-ce pas, Norbert ?

– Mmh mmh, acquiesça Norbert qui avait remis ses mains sur sa bouche.

– Alors en avant ! Brenda, prenez la tête, dit Randalf.

Les intrépides compagnons, en groupe serré, continuèrent leur route à travers le bois des Elfes. Ils n'avançaient pas vite. Randalf avait de plus en plus fréquemment besoin de faire des haltes. Il se laissait tomber au pied d'un arbre ou d'un autre, rouge comme une cerise confite et soufflant comme un phoque. Brenda l'encourageait.

– On est presque arrivés, disait-elle en lui prenant le bras, encore un petit effort…

Mais cette fois…

– Je n'en peux plus, grogna Randalf en se laissant tomber sur l'herbe.

Il s'essuya le front.

– Faut que… je… me repose…

– Génial, mon gros, railla Véronica, vous avez battu votre propre record. Vous avez marché moins de dix minutes d'affilée.

– C'est… c'est faux ! articula Randalf. Nous avons parcouru des kilomètres, n'est-ce pas, Brenda ?

– Euh… pas tout à fait, Rudolf. Et il est peut-être vrai que vous ne devriez pas vous arrêter aussi souvent…

– Allons, Randalf, dit Jean-Michel. Vous pouvez continuer.

– C'est facile pour toi, se plaignit le magicien. Mes pieds sont extrêmement fragiles. Mes orteils me font souffrir le martyre et…

– Encore une tournée d'excuses bidon ! lança la perruche.

– Véronica, tais-toi ! gronda Randalf.

– Mais c'est vrai, insista le volatile. Qui essayez-vous de convaincre ?

– Cette dispute ne nous mènera nulle part, interrompit Jean-Michel. Norbert, peux-tu le porter ?

L'ogre acquiesça, les mains toujours collées à sa bouche.

– Je ne retourne pas sur l'épaule de Norbert, refusa Randalf. Je vais encore me prendre toutes les branches !

Jean-Michel soupira.

– Il pourrait peut-être vous porter sur son dos.

– Bon, si vous insistez ! râla Randalf.

Il monta sur une souche. Norbert s'approcha de lui et se pencha. Randalf lui sauta sur le dos et lui enserra le cou.

– Iiiik, cria-t-il. Je glisse !

Norbert rattrapa Randalf d'une main et le cala mieux, de façon à pouvoir passer ses propres bras sous les jambes du magicien.

– C'est assez confortable, apprécia Randalf.

– Table, fable, câble, sable, minable, chantonna Norbert en rougissant furieusement. Euh... pardon, maître. Je... J'essaie de...

– Tu peux répéter ça ? demanda Véronica.

– J'essaie... de... ne... rien... dire d'idiot, d'hélicoptère, terrible, terrible docteur Câlin...

– Ça suffit, Norbert ! s'énerva Randalf en plaquant lui-même ses mains sur la bouche de l'ogre. Et ne me bave pas sur les doigts !

– Bon, si tout est OK, on peut peut-être repartir, cette fois, dit Brenda d'une voix autoritaire. Quel côté, Rupert ?

– Suivez-moi tous, dit Randalf, très sûr de lui. Je connais ce bois comme le fond de ma poche. Il faut tourner à droite… à droite, Norbert ! répéta-t-il à l'ogre qui se dirigeait justement vers la gauche. Et on ne traîne pas !

Jean-Michel emboîta le pas à Norbert, Henri sur ses talons et Véronica sur son épaule. Sniffy avançait nonchalamment derrière eux. Brenda – l'épée brandie et l'œil aux aguets – fermait la marche.

Ils avancèrent et avancèrent, et avancèrent encore. Le soleil se leva, monta haut dans le ciel, et commença à redescendre.

De temps en temps, Norbert, qui avait bien du mal à ne pas baver sur les mains de Randalf, laissait échapper un babillage. Mais la plupart du temps, les compagnons restaient silencieux.

– Quelque chose cloche, observa soudain Jean-Michel.

– Je ne te le fais pas dire, rétorqua Randalf. Je devrais être à la maison en train de siroter un chocolat chaud aux crachats, au lieu de me trouver sur le dos d'un ogre qui me bave sur les doigts.

Jean-Michel secoua la tête.

– Ce n'est pas ça.

Brenda le rejoignit.

– Que se passe-t-il ? Tu as aperçu un monstre, un dragon ? Un… elfe ?

Jean-Michel secoua de nouveau la tête et désigna un arbre devant eux.

– Nous sommes déjà passés par là. Nous tournons en rond ! Randalf ! Nous sommes perdus !

Véronica ricana :

– On est fous d'avoir fait confiance au gros ! « Je connais le bois des Elfes comme ma poche », qu'il disait. Mais bien sûr !

– C'est pas ma faute, se récria Randalf. C'est… Norbert !

– Mmmm mmmm mmm ! marmonna Norbert, indigné.

– C'est vrai, insista Randalf. Il ne sait même pas reconnaître sa gauche de sa droite.

Norbert baissa les bras. Randalf tomba par terre.

– Balle de tennis ! machine à laver ! fromage fondu ! cria l'ogre.

Le visage rouge de frustration et de colère, il tourna les talons et s'enfuit dans les bois.

– Norbert ! appela Randalf. Norbert, reviens immédiatement ! Tu ne peux pas me laisser tomber !

– C'est exactement ce qu'il vient de faire, remarqua Véronica.

Randalf se leva et s'assit sur une souche.

– Comment va-t-on trouver la Clairière gloussante ? s'inquiéta Jean-Michel.

– Tu as entendu ça, Hélène ? s'étonna un châtaignier à côté d'eux. Ils ne savent pas comment aller à la Clairière gloussante !

– Je sais, Stan, lui répondit un chêne. Je me demandais justement pourquoi ils nous tournaient autour depuis le début de la journée. Je croyais que le gros savait ce qu'il faisait.

– Moi aussi, renchérit un bouleau. C'est pour ça que je n'osais pas m'en mêler.

– Il faut qu'ils aillent par là, n'est-ce pas ? dit Stan.

– Exactement, acquiesça Hélène, il faut tourner à gauche après Delilah le houx, en faisant attention de ne pas se piquer, et prendre en direction des sycomores.

Jean-Michel sourit.

– Merci, dit-il.

Les arbres agitèrent leurs feuilles.

– Quel charmant jeune homme ! se réjouit un frêne. Et bien élevé avec ça.

– Oui, pas comme le grand avec les trois yeux, ajouta le chêne.

À ce moment, Norbert refit son apparition. Il souriait jusqu'aux oreilles et reboutonnait son pantalon.

– Ah, ça va mieux. Je crois que je suis presque complètement redevenu normal, peut-être encore un peu...

– Épargne-nous les détails, Norbert, l'interrompit Randalf en reprenant le contrôle de la situation.

Il se leva et, Véronica perchée sur son chapeau, se dirigea vers le buisson de houx.

– Dépêchez-vous un peu, lança Randalf, nous n'avons perdu que trop de temps.

Les arbres continuèrent à guider la petite troupe qui avança du coup assez vite.

– Ils vont y arriver, Sid, commenta un sycomore à son congénère.

– Eh oui, on peut même espérer qu'ils parviendront à régler son compte au docteur Câlinou.

– Il est grand temps, commenta un autre. L'œuvre de ce fou furieux grandit à vue d'œil.

– Oui, c'est vrai, reprit Stan, mais, oh, ils ont encore besoin d'un peu d'aide… Hé, le gros, c'est par là, maintenant, vers le grand sapin, et faites attention de ne pas réveiller l'oncle Éric…

– T'inquiète pas pour l'oncle Éric, le rassura Sid, ça fait des années qu'il dort comme une souche !

Jean-Michel se sentait de plus en plus confiant à présent. Randalf avait trouvé un second souffle, Norbert était guéri et même Véronica était plus taquine que jamais.

– On ne doit plus être loin, dit à ce moment la perruche. Écoutez…

Jean-Michel tendit l'oreille et entendit des coups de marteau et des crissements de scie.

– Oooh, frissonna un grand pin, en tremblant des épines. Quelle horreur ! Daphné, c'est terrible, ce qui se passe là-bas !

– Oui, c'est terrible ! C'est l'œuvre maléfique du terrible docteur Câlinou, répondit un saule d'une voix tremblante. Ça me donne envie de pleurer.

– Ne vous inquiétez pas, dit Jean-Michel. Nous allons mettre fin à ces atrocités.

Il se tourna vers Brenda.

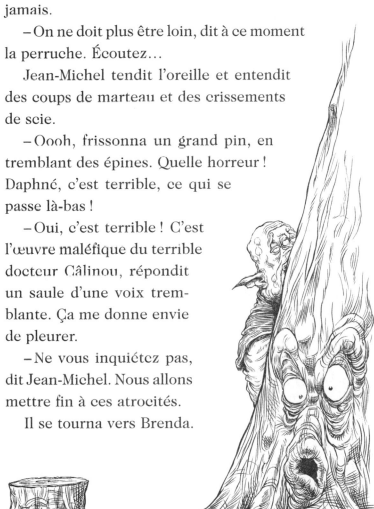

– N'est-ce pas, Brenda ?

La princesse guerrière hocha la tête, mais elle était très pâle. Elle avait plissé le nez et roulait frénétiquement des yeux. À ses côtés, Sniffy ne semblait pas plus à l'aise.

– Tout va bien, Brenda ? demanda Jean-Michel.

– Je ne sais pas, répondit-elle.

Elle fixait le sol à ses pieds.

– Qu'est-ce que c'est que ça ?

Jean-Michel s'approcha.

– Un morceau de vêtement, dit-il en ramassant le carré de tissu rouge et blanc. Pourquoi ?

– Ça ressemble à un mouchoir, dit Brenda d'une voix tremblante. Un mouchoir d'elfe.

Jean-Michel haussa les épaules.

– C'est impossible, Randalf nous a assuré qu'il n'y avait pas d'elfe au bois des Elfes.

Brenda se mordit la lèvre.

– Si c'est vrai, qu'est-ce que c'est que ça ?

Jean-Michel ramassa le minuscule dé à coudre que Brenda désignait. Il devait reconnaître qu'il avait la taille parfaite pour un doigt d'elfe.

– Et ça ? reprit Brenda, le front à présent en sueur. Et ça ? Et ça ? Et ça ?

Jean-Michel regarda encore par terre. Le sol était couvert de tout petits objets : un petit peigne en ivoire, un éventail miniature, une minuscule casquette, deux boutons en bois…

– Tout ça appartient à des elfes ! hurla Brenda, horrifiée.

À ce moment, Randalf les appela :

– On est arrivés !

– Vous avez entendu, Brenda ? dit Jean-Michel, tout excité. On a trouvé la Clairière gloussante !

Brenda hocha la tête, le regard vide. Jean-Michel la prit doucement par le bras.

– Ne vous en faites pas, Brenda. Ces objets ont sans doute été perdus depuis des années.

Brenda se laissa entraîner par Jean-Michel. Sniffy les suivit avec réticence. Randalf se tenait au pied d'un grand chêne.

– Vous voilà enfin ! lança-t-il en guise d'accueil.

Brenda et Sniffy sur les talons, Jean-Michel regarda à travers les branchages.

– Ouaouh ! s'exclama-t-il.

Dans la clairière, étaient dressés d'immenses échafaudages qui soutenaient ce qui ressemblait à une tête de lapin géante en bois. Résonnaient le bruit régulier des cognées, le gémissement de la scie circulaire et les coups de marteau. Les arbres qui bordaient la clairière agitaient leurs branches.

– Oh, Arnold ! se lamenta l'un d'eux, en voyant tomber sous les coups de hache un magnifique sapin.

– Et maintenant, ils s'attaquent à Raymond !

La Clairière gloussante était en pleine activité : une fois coupés, les arbres étaient aussitôt transformés en

planches,
qui à leur tour
étaient utili-
sées pour la
construction de
la curieuse struc-
ture en forme de
tête de lapin. Un
magicien au visage très
ridé, un plan à la main,
orchestrait les
manœuvres :

– Selon l'instruction numéro 3, la section C, la pièce avec les vis cruciformes, doit être fixée à la section R. Il faut en même temps s'assurer que les charnières (voir la figure 8) sont au-dessus des gonds (voir les notes additionnelles) qui sont sur la droite.

Il leva la tête vers l'assemblage et se replongea dans la lecture du plan.

– Non, ce n'est pas ça…

Il retourna son plan.

– … la section D doit être fixée à la section M, mais pas avant que les vis de blocage soient resserrées.

Il fronça les sourcils.

– Vis de blocage ? Qu'est-ce que c'est que ça, les vis de blocage ? Qui a écrit cette fichue notice de montage ?

– C'est vous, lui répondit un chœur de voix fluettes.

– C'est Roger le Plissé, murmura Randalf à l'oreille de Jean-Michel. C'est lui qui m'a tout appris.

– Ça lui a bien pris cinq minutes, commenta Véronica.

Randalf secoua tristement la tête.

– Pauvre Roger. Comment a-t-il pu tomber aussi bas ?

Jean-Michel aperçut l'énorme boulet relié à la cheville du magicien par une lourde chaîne.

Randalf frissonna.

– Emprisonné et forcé d'obéir à cet horrible docteur... docteur...

Il s'interrompit, incapable de prononcer le nom.

– Heureusement qu'on a Brenda et Jean-Michel avec nous, hein, maître ? dit Norbert.

– Oui, reconnut Randalf. D'ailleurs, où est Brenda ?

Il regarda autour de lui.

– Oh, vous voilà, ma chère. Que faites-vous là-bas ?

Brenda sortit de derrière un arbre.

– Ces voix, c'est quoi ? demanda-t-elle nerveusement.

Venez voir.

Randalf sourit et tendit la main à la princesse.

– Vous avez de la chance, la Clairière gloussante grouille littéralement d'elfes. C'est très rare !

– Iiiikkk ! cria Brenda.

– Brenda ? s'étonna Randalf. Brenda, où allez-vous, ma chère ? Pourquoi grimpez-vous à cet arbre ? Brenda, répondez-moi !

– Hiiii !

C'est tout ce que parvenait à répondre Brenda, réfugiée au sommet d'un arbre. Sniffy ne fut pas long à la rejoindre.

– Brenda ? Quel est le problème ? s'inquiéta Randalf. Qu'avez-vous vu ? Des dragons ? Des orques ? Le grand dévoreur d'entrailles du Lac noir ?

– Non, sanglota Brenda. C'est les elfes !

– Les elfes, glapit Randalf. Vous n'êtes pas sérieuse, ma chère ! Une grande princesse comme vous. Vous ne pouvez pas avoir peur de ces tout petits elfes !

Jean-Michel soupira :

– Et pourtant si !
On dirait bien que
Brenda a un pro-
blème avec les
elfes.

– C'est absurde !
affirma Randalf.
Brenda, dites-moi
que ce n'est pas
vrai ! Brenda…

– C'est… vrai,
bredouilla la jeune
femme. Je les dé-
teste, déteste, déteste !
Je ne supporte pas
leurs petits corps osseux,
ni leurs voix aiguës !

La branche sur laquelle elle s'était réfugiée ploya dangereusement.

– Faites-les partir ! S'il vous plaît !

– Mais Brenda, dit Randalf, vous êtes très musclée et vous avez un gros chat de combat. Vous êtes une guerrière ! Vous avez vaincu de terribles créatures…

– Pourquoi croyez-vous que je suis partie si longtemps dans les contrées du Nord ? pleurait Brenda. C'était pour m'éloigner des elfes ! Je voulais apprendre à vaincre ma peur. Je pensais avoir réussi et pouvoir enfin revenir au Marais qui pue, mais… non, non !

Ses sanglots soulevèrent violemment sa poitrine. Près d'elle, Sniffy poussait de petits gémissements.

– Oh, ça va maintenant ! grommela le vieil arbre.

Randalf se laissa tomber sur le sol.

– Moi j'étais sûre qu'elle était pas nette, votre princesse, lança Véronica.

– Tout est perdu ! dit Randalf. Nous sommes obligés d'abandonner notre quête. Nous devons rentrer à la maison.

– Rentrer à la maison ! s'énerva Jean-Michel. Oui, c'est exactement ce que j'essaie de faire ! Mais je ne parle pas de votre maison, Randalf !

– Mais nous n'avons pas le choix, dit Randalf. Nous ne pouvons rien faire sans Brenda.

– Si, nous pouvons ! affirma Jean-Michel, les yeux brillants. Nous pouvons et nous le ferons. Je refuse d'abandonner si près du but. Nous avons traversé la forêt, nous avons trouvé la Clairière gloussante. À présent, il est temps d'accomplir notre tâche ! Nous allons commencer par libérer Roger le Plissé. Nous sommes venus récupérer le Grand Grimoire et nous le récupérerons ! En plus, nous allons débarrasser le Marais qui pue du docteur Câlinou !

– Bravo, lança un noisetier. Voilà des paroles courageuses !

– Oui, renchérit un acacia. Il est féroce, ce petit !

Jean-Michel brandit son épée.

– Qui est avec moi ? cria-t-il.

– Moi ! lança Véronica.

– Chou-fleur ! Fromage ! Noix de cajou ! brailla Norbert. Oh ! excusez-moi, j'ai des hoquets. Je voulais juste dire : moi aussi, je suis avec toi !

Jean-Michel se tourna vers Randalf.

– Et vous ?

Le visage de Randalf reflétait la résignation.

– Je vais le regretter, je sais que je vais le regretter. Ce ne sera pas ma faute si les choses tournent mal…

– Alors ? demanda Jean-Michel.

– D'accord, soupira le magicien. Je suis avec toi, Jean-Michel.

Il se leva.

– Mais tu passes devant.

– **C**hargez ! rugit Jean-Michel.

Il fit tournoyer son épée au-dessus de sa tête et bondit dans la clairière, Henri sur les talons. Les elfes poussèrent des cris d'effroi et s'enfuirent comme une volée de moineaux.

Roger le Plissé leva la tête de son plan.

– Mon Dieu ! s'exclama-t-il, les yeux écarquillés. Un super-guerrier !

Jean-Michel se campa devant lui.

– Un peu petit peut-être, ajouta le magicien, mais son armure est fantastique ! Qu'est-ce qui vous amène ?

– Je suis venu vous libérer, répondit Jean-Michel.

– Oh ! lancèrent en chœur des dizaines de petites voix.

Jean-Michel se retourna pour découvrir les visages triangulaires des elfes, qui le regardaient à travers les buissons où ils s'étaient réfugiés.

– Ne vous occupez pas d'eux, dit Roger le Plissé.

Il frappa dans ses mains.

– Au travail, tous ! leur ordonna-t-il.

– Tout de suite, maître, répondirent les petites créatures en retournant immédiatement à leur tâche. Avec joie.

– Drôles de petits êtres, hein ? fit remarquer Roger le Plissé. C'est un vrai plaisir de leur donner des ordres.

Jean-Michel fronça les sourcils.

– Je n'avais pas l'impression que vous étiez le maître d'œuvre.

Le magicien jeta un regard de côté à ses chaînes.

– Je sais, je sais, admit-il. Mais il n'y a pas lieu de s'inquiéter, tout est sous contrôle.

– Ah oui ? s'étonna Jean-Michel.

– Mais oui, assura Roger le Plissé en se tapotant mystérieusement le bout du nez. Je n'ai absolument pas besoin de secours, même si je vous suis très reconnaissant de votre offre. Mais dites-moi, d'où venez-vous exactement ?

Jean-Michel se retourna et désigna Norbert et Randalf (à moitié caché derrière l'ogre) qui venaient d'apparaître.

– Je suis avec eux. Nous sommes là pour une quête.

Roger le Plissé plissa les yeux.

– Norbert ? s'exclama-t-il. Norbert, c'est bien toi ?

– Oui, maître, acquiesça Norbert en s'approchant.

– Comme je suis content de te revoir, mon cher Norbert, s'enthousiasma Roger le Plissé. Et comme c'est gentil de ta part d'avoir parcouru tout ce chemin pour me sauver !

– Oh, je ne suis pas tout seul, maître, dit l'ogre modestement.

– Et qui est-ce, là, derrière toi ?

En reconnaissant Randalf, Roger le Plissé fut si stupéfait que même ses rides se ridèrent.

– Ce n'est pas le jeune Randalf, quand même ?

Rouge comme une tomate, Randalf se décala légèrement.

– Bonjour, maître, articula-t-il timidement.

– Eh bien, ça alors, dit Roger le Fripé. C'est invraisemblable ! Qui vous aurait cru capable d'organiser une telle quête ?

– Ce n'était pas très difficile pour lui, intervint Jean-Michel. Après tout, il est magicien.

– Un magicien, lui ? ricana grassement Roger le Plissé. Randalf ? Un magicien ? Mais mon cher, vous faites erreur. Il a échoué à l'examen élémentaire ! N'est-ce pas, Randalf ?

– Euh, oui, maître... acquiesça Randalf, de plus en plus rouge.

– Je vous l'avais dit ! triompha Véronica. Je vous l'avais dit qu'un jour le pot aux roses serait découvert !

– Véronica ! c'est bien toi ? s'écria Roger le Plissé. Comme ton plumage est brillant !

– Oh, monsieur ! roucoula Véronica. Votre compliment me va droit au cœur.

Randalf secoua la tête.

– Comment tout cela est-il arrivé, maître ? Un grand magicien comme vous ! Avec tous vos pouvoirs ? Comment avez-vous pu vous laisser emprisonner ?

– Les détails n'ont pas d'importance, Randalf, coupa Roger le Plissé. Je n'aurais certes pas dû entrer dans l'armoire, mais il y avait cette chemise de nuit qui semblait si seyante…

Norbert hoqueta.

– Chemise de nuit, bonnet de nuit, caleçon de nuit…

Roger rosit légèrement.

– Euh, oui, un caleçon, c'était un caleçon, reconnut Roger. Comment le sais-tu ? Enfin bref, la porte de l'armoire s'est refermée sur moi et avant que j'aie eu le temps de réaliser ce qui m'arrivait, le docteur Câlinou a fermé à clé. Puis il m'a amené à la Clairière gloussante !

– Ne pouviez-vous pas lui jeter un sort ? demanda Jean-Michel.

– Je n'ai pas eu le temps, expliqua Roger. Tout s'est passé en quelques secondes.

Il soupira.

– Je suis enfermé avec les autres magiciens depuis mon arrivée ici.

– Et à quoi va servir cette grosse tête de lapin ? demanda Randalf.

– On va la poser sur le reste du corps du lapin, répondit simplement Roger.

Randalf fronça les sourcils.

– Oui, mais à quoi le lapin va-t-il servir ? insista-t-il.

– Il fait partie du plan odieux du docteur Câlinou, dit Roger le Plissé. C'est tout ce que je sais. Le docteur Câlinou ne m'a rien dit de plus. Il est complètement fou, vous savez ?

Les elfes continuaient à s'affairer en sifflotant. Ils coupaient, rabotaient, sciaient et une longue file se passait les planches, les montait en haut de l'échafaudage et les clouait en place.

Autour de la clairière qui s'éclaircissait à vue d'œil, les arbres étaient de plus en plus nerveux.

– Je vais être le prochain, marmonna un saule pleureur en larmes.

– Courage, Lucinda, dit un hêtre. Nous devons rester dignes jusqu'au bout.

– Aïe ! hurla un chêne, alors que les elfes s'attaquaient gaiement à son tronc. Adieu, monde cruel.

– Ils s'en prennent à Oswald, sanglota le saule. Pourquoi est-ce que le gros ne se décide pas à agir ?

– Lui, il n'a jamais l'air pressé, siffla le hêtre.

– C'est clair, renchérit un charme. Il passe la moitié de son temps assis.

Effectivement, Randalf s'était installé sur le boulet de Roger.

– Que voulez-vous que nous fassions ? lui demanda-t-il.

Roger se passa la main sur les rides du front.

– Que pouvez-vous faire ? Eh bien, pour être honnête, comme je le disais au jeune super-guerrier ici présent...

Il sourit à Jean-Michel.

– Comment t'appelles-tu, déjà ?

– Jean-Michel, dit Jean-Michel.

– Jean-Mi le Barbare, dit Véronica.

Roger le Plissé hocha la tête.

– Eh bien, comme je l'expliquais à Jean-Michel, je vous suis reconnaissant d'avoir parcouru tout ce chemin jusqu'ici, mais vous vous êtes donné bien du mal pour rien. Je n'ai pas besoin d'être sauvé.

– Ah bon ! s'exclama Randalf en se levant. Ce n'est pas grave. Nous allons rentrer à la maison et vous laisser vous débrouiller. Allez, tout le monde, en avant. On rentre chez nous !... Véronica ! ajouta-t-il en tapotant le rebord de son chapeau.

– Attendez une minute ! s'écria Jean-Michel. Vous n'êtes pas en train d'oublier quelque chose par hasard ?

– Tu as entendu Roger, mon garçon. Il n'a pas besoin de nous. Nous n'allons quand même pas nous imposer.

– Il n'a peut-être pas besoin de nous, mais moi, j'ai besoin de lui !

Roger le Plissé regarda Jean-Michel.

– De quoi as-tu besoin ?

– Ce n'est rien, se hâta d'intervenir Randalf. Allez, Jean-Michel, viens, tu vois bien que Roger est très occupé.

Mais Jean-Michel ne l'entendait pas de cette oreille.

– J'ai besoin d'un vrai magicien pour rentrer chez moi, dit-il à Roger pendant que Randalf lui tirait sur la manche. Randalf a su me faire venir au Marais qui pue, mais il ne sait pas comment me faire repartir. Je suis ici depuis des siècles, j'ai combattu des ogres, vaincu des dragons...

– Tu exagères un peu, mon garçon, marmonna Randalf.

– Tais-toi, Randalf, lança Roger le Plissé. J'ai bien l'impression que tu as essayé de te mêler d'affaires auxquelles tu ne connais rien !

– Mais non... dit Véronica ironiquement.

– Véronica, tais-toi ! lui souffla Randalf.

Roger s'adressa à Jean-Michel.

– Continue, jeune homme.

– J'ai fait tout ce que m'a demandé Randalf.

– Et plus encore, renchérit Norbert. Il a été fantastique.

– Mais à présent, je veux quitter le Marais qui pue, reprit Jean-Michel.

Il eut un pauvre sourire.

– Vous êtes mon dernier espoir. Pouvez-vous me renvoyer chez moi ? S'il vous plaît ?

Roger secoua la tête.

– Ce n'est pas si simple. La magie ne consiste pas seulement à agiter les mains en psalmodiant des formules.

– Ah bon ? s'étonna Randalf.

Roger l'ignora.

– La magie est une entreprise complexe, qui requiert de grandes capacités et beaucoup de connaissances. Même le légendaire Ian l'Habile n'a pas, dans toute sa vie, effectué plus d'une demi-douzaine de hauts faits magiques.

Le désespoir envahit Jean-Michel.

– Tout est dans la précision, poursuivit Roger. Par exemple, pour enlever un point noir, il faut prononcer deux mots, tout en sifflotant, c'est presque pareil que pour transformer quelqu'un en cochonnet rose puant, alors, tu imagines la délicatesse de l'entreprise.

Jean-Michel haussa les épaules. Henri gémit. Randalf baissa la tête, penaud.

– C'est pourquoi nous autres, magiciens, possédons le Grand Grimoire, conclut Roger. Pour éviter les erreurs. Et même de cette façon, ce n'est pas si facile. Il faut des années d'études pour apprendre à interpréter les symboles, les codes et les diagrammes, pour suivre correctement les instructions.

– Mais vous, vous savez le faire, non ? demanda Jean-Michel, dont l'espoir renaissait.

– Oui, admit Roger. Si j'avais le grimoire, je pourrais sans doute te renvoyer chez toi.

Il soupira.

– Malheureusement, et ne me demande pas comment c'est arrivé, le Grand Grimoire est tombé entre les griffes de Câlinou…

– Hmm, toussota Véronica en jetant un regard en biais à Randalf. Je me demande comment c'est arrivé.

– … Il le garde bien à l'abri dans une grande boîte fermée à clé qu'il a posée sur un lutrin en chêne…

– Ah, Cécile… soupira le saule.

– Pauvre vieille Cécile ! lâcha le hêtre. Et voilà qu'à présent, ce bon vieil Oswald va finir comme elle.

– … Câlinou me permet de temps en temps d'y jeter un coup d'œil et seulement quand il a besoin d'un sort particulier.

Jean-Michel se mordit la lèvre. Il refusait d'abandonner.

– La clé ! lança-t-il. Si le livre est dans une boîte fermée à clé, c'est qu'il y a une clé.

– Oui, dit Roger. Câlinou la porte autour du cou.

Jean-Michel émit un grognement de déception.

– Eh bien, nous aurons fait de notre mieux, dit Randalf. Allons, retournons au Lac enchanté. Nous avons bien mérité une bonne tasse de chocolat chaud aux crachats.

Véronica sauta sur son épaule.

– Taisez-vous, Randalf, dit-elle. Nous ne partons pas. N'est-ce pas, Norbert ?

– Certainement pas, acquiesça l'ogre.

– En ce qui concerne la clé, ajouta Véronica, je m'en charge.

– Vous trouverez Câlinou dans la petite maison au fond de la clairière, dit Roger le Plissé. Et si vous parvenez à mettre la main sur le Grand Grimoire, apportez-le-moi. Je serais ravi de pouvoir aider ce jeune homme courageux. Et surtout, ne vous inquiétez pas pour moi.

Roger agita une main ridée et les cinq compagnons partirent dans la direction qu'il avait indiquée. Norbert, Véronica, Jean-Michel et Henri (qui était de nouveau en laisse) en tête, Randalf qui traînait les pieds derrière.

La plupart des arbres avaient été coupés, mais la Clairière gloussante n'était pas encore parfaitement nue ; il y restait encore quelques spécimens, parmi les plus chétifs : un saule malingre, un buisson de houx déplumé, un bouleau pathétique... La petite troupe, essayant de ne pas se faire repérer, avançait par sauts de puces de massif décharné en arbuste squelettique.

Ils passèrent devant d'autres équipes d'elfes, chacune supervisée par un magicien.

– Mais qui vois-je ? s'écria Véronica. Ne serait-ce pas Bertram l'Incroyablement Poilu ?

– Si, dit Norbert. Et regarde là-bas, Melvyn le Mauve.

Jean-Michel ne disait pas un mot. La vue des magiciens enchaînés le déprimait terriblement. Si le docteur Câlinou avait réussi à les emprisonner malgré leurs pouvoirs, quelle chance leur restait-il à eux ?

– Ne t'en fais pas, Jean-Michel, essaya de le rassurer Norbert, comme s'il avait lu dans les pensées du garçon.

Ils étaient accroupis derrière une petite haie et attendaient que Randalf les rejoigne. Ils n'étaient plus qu'à deux pas du portail en bois blanc. Un petit chemin gravillonné menait à la porte d'un coquet chalet, un rosier grimpant encadrait la porte, et les volets bleus étaient ornés de découpes en forme de cœur.

– C'est ça, la maison du terrible docteur Câlinou ? s'étonna Jean-Michel.

– L'antre où il fomente ses sinistres plans, oui, répondit Randalf qui venait de les rejoindre.

– Chut, ne parlez pas si fort ! lança Véronica. Il va nous entendre.

À cet instant, une porte claqua à l'intérieur de la maison.

Le docteur Câlinou venait de sortir de la chambre
d'Ingrid.

– Elle va me rendre cinglé ! grommela-t-il. Quentin,
occupe-toi d'elle. Je ne la supporte plus.

– Mais, maître… protesta Quentin d'une voix plain-
tive.

– Obéis ! tonna le docteur Câlinou.

Ses yeux bleus envoyaient des éclairs.

– Je vais dans ma chambre et je ne veux plus être
dérangé. C'est bien compris ?

Quentin opina.

– Bien, dit le docteur Câlinou en émettant un gloussement menaçant. Et sache que tu t'exposes au pire
en ne suivant pas mes ordres.

Il traversa le couloir, entra dans sa chambre et claqua violemment la porte derrière lui.

Blam !

– Y a de la mauvaise humeur dans l'air, chuchota
Véronica. Je vais jeter un coup d'œil pour repérer les
lieux. Attendez mon signal.

La perruche s'envola et se posa sur le bord du cœur
découpé dans le volet. Elle jeta un coup d'œil, se
retourna et agita son aile vers Jean-Michel.

– On y va, dit le garçon.

Randalf et Norbert, penchés en avant, le suivirent
jusqu'à la fenêtre. Leurs ombres s'allongeaient dans la
lumière rasante. Ils s'accroupirent.

– Regardez vous-mêmes, leur proposa Véronica.

Prudemment, le cœur battant, les jambes trem-
blantes, Jean-Michel se redressa. La pièce ressemblait
à une chambre d'enfant. Des jouets jonchaient le sol
et dans un lit, peint en jaune poussin, une petite silhouette dormait, enveloppé dans une tunique à capuche.
Elle portait une chaîne autour du cou, à laquelle étaient
accrochés une clé argentée et un sifflet. Sa respiration
était régulière.

– C'est lui, dit Jean-Michel. Il a la clé du grimoire.
Mais comment la prendre sans le réveiller ?

– Laisse-moi faire, dit Véronica.

Elle se faufila dans l'ajour du volet. Jean-Michel retint se respiration. Véronica se posa doucement sur l'oreiller du docteur Câlinou, attendit un instant et se faufila sous sa capuche.

Le docteur Câlinou s'agita un peu et gloussa dans son sommeil :

– Ouh, Quentin, ça chatouille !

Elle réapparut quelques secondes plus tard, la clé dans le bec. D'un battement d'ailes, elle retourna près de ses amis.

– Bravo, Véronica ! la félicita Jean-Michel.

Randalf prit la clé.

– Ce n'est pas encore fini, dit-il. Venez maintenant.

Devant la porte d'entrée, ils soulevèrent le battant de la boîte à lettres pour vérifier que personne ne se trouvait dans le couloir. Ils baissèrent la poignée… par chance, la porte n'était pas verrouillée. Ils entrèrent sur la pointe des pieds.

Il faisait sombre à l'intérieur et Jean-Michel eut besoin de quelques secondes pour que ses yeux s'habituent à l'obscurité. Le couloir donnait sur une salle de séjour dont le papier peint fleuri jurait avec les rideaux bleu roi et le tapis orange à losanges.

– Là ! murmura Jean-Michel.

Dans un coin, se trouvait un lutrin, sur lequel était posée une boîte fermée par un cadenas. Collés les uns aux autres, ils avancèrent silencieusement dans la pièce. Jean-Michel tenait fermement la laisse d'Henri.

Randalf glissa la clé dans la serrure du cadenas, la tourna…

– Aaaaaaaaaarrggh !

Le sol s'était brutalement ouvert sous leurs pieds. Tous ensemble, ils tombèrent, tombèrent, tombèrent…

– Aïe !

– Ouille !

– Enlève ton coude de mon oreille !

Ils finirent par atterrir. Norbert, puis Randalf, Jean-Michel et enfin Henri s'écrasèrent violemment sur une dalle de pierre humide.

Jean Michel se dégagea de ses compagnons et se leva. Il regarda autour de lui. Mais ne vit rien. L'endroit était plongé dans la plus profonde obscurité.

– Et maintenant, on fait quoi ? murmura-t-il.

Soudain, la lumière inonda la pièce. Une serrure cliqueta et une porte grinça. Jean-Michel, ébloui, se protégea les yeux. Ils étaient dans un petit réduit dénué de fenêtre. Le sol était humide et les murs couverts d'une mousse verdâtre. Dans un coin, étaient entassés des boulets et des chaînes de fer. Il y avait aussi un escalier. Et quelqu'un descendait cet escalier.

– Postérieur de bœuf musqué, hoqueta nerveusement Norbert. On a de la visite.

Randalf se cacha derrière l'ogre. Une voix s'éleva.

– Colin ! Combien de fois devrais-je vous dire de ne pas essayer de vous emparer du Grand Grimoire ?

L'inconnu arriva au pied de l'escalier… et se figea.

– Norbert ! cria-t-il, les yeux grands comme des soucoupes.

– Quentin ! cria Norbert à son tour.

Jean-Michel regarda l'homme aux chaussures pointues, à la jaquette rouge à paillettes et à la mise en plis
parfaite. Randalf sortit de derrière Norbert.

– Quentin ! répéta-t-il. Que faites-vous là ?

Quentin se passa la main dans les cheveux.

– Je travaille pour le docteur Câlinou.

– Vous !

C'était au tour de Randalf d'écar-
quiller les yeux.

– Oui, et tout est votre faute,
reprit Quentin. Vous m'avez fait
venir au Marais qui pue sans
penser à ce que je pouvais res-
sentir. Mon monde n'était fait
que de glaçage et de fondant, et
vous, vous m'avez obligé à porter
une armure pour mener
une quête. Et en plus, en
plus...

Quentin était de plus
en plus en colère.

– En plus, vous m'avez laissé tomber à la première
bataille !

– Tiens, ça me rappelle quelque chose... marmonna
Jean-Michel.

– C'est le docteur Câlinou qui m'a aidé. Et il m'a
appris une ou deux choses à votre sujet.

Randalf rougit.

– C'est vrai qu'il est fou et qu'il veut devenir le maître du monde, mais lui au moins, il m'apprécie !

– Je ne vous ai pas laissé tomber, mon cher Quentin, protesta faiblement Randalf. J'exécutais tout simplement une manœuvre de diversion, bien connue parmi les magiciens, et qui consiste à...

– Sauver sa peau ! termina Véronica.

– Arrêtez de vous disputer ! coupa Norbert.

Il frappa gaiement dans ses mains :

– Quentin, donnez-moi de vos nouvelles.

– Merci de votre intérêt, Norbert, marmonna Quentin. Moi, ça va plutôt bien, mais Ingrid me rend dingue ! C'est un monstre ! Elle n'arrête jamais. Du matin au soir, c'est « Quentin, fais ci », « Quentin, fais ça ». J'en perds les pédales.

Il se tut et prit une pose théâtrale.

– Mais bon, assez parlé de moi, lança-t-il soudain. Mettez vos boulets et suivez-moi !

Randalf ricana.

– Et si on ne veut pas ?

– Je le dirai au docteur Câlinou, répondit tranquillement Quentin.

– Je vous suis, je vous suis, s'écria aussitôt Randalf en se précipitant vers le tas de boulets.

Il en choisit un et s'attacha la chaîne à la cheville. Jean-Michel, Norbert et Véronica l'imitèrent en maugréant. La perruche avait trouvé un boulet à sa taille avec une petite chaîne coordonnée. Quentin leur fit signe de monter les marches.

– Où nous emmenez-vous ? voulut savoir Randalf.

– Un peu de patience, rétorqua Quentin.

Un long couloir les mena à une cuisine jaune vif. Il y avait des gâteaux Grobisou partout.

– Quentin, vous êtes un artiste ! s'étrangla Norbert.

– Et vous, Norbert, vous êtes un amour, répondit le pâtissier. Allons, suivez-moi. Randalf, faites attention de ne pas cogner votre boulet partout !

Quentin ouvrit une porte qui donnait sur la cour du chalet. Ce n'était pas une petite cour – Jean-Michel estima qu'elle était au moins grande comme trois terrains de foot – et elle grouillait d'elfes. Ils se tenaient devant un podium sur lequel étaient alignés sept magiciens. Un personnage vêtu d'une large tunique à capuche leur faisait face.

– Me voilà, maître ! annonça Quentin. Et vous ne devinerez jamais qui vient de tomber dans la trappe ?

– Pas machin chose, grommela la silhouette à capuche sans se retourner, il est devant moi.

– Effectivement, il ne s'agit pas de Colin l'Indescriptible, cette fois. Regardez !

Il poussa Randalf et les autres devant lui.

La silhouette à capuche fit volte-face. Ses yeux bleus s'agrandirent puis se plissèrent.

– Tiens, tiens, tiens, grinça le docteur Câlinou. Ne serait-ce pas Randalf le Sage lui-même ? Ça fait un bout de temps qu'on ne s'était pas vus, Randy. Bien trop longtemps pour deux vieux amis comme nous. Je commençais à croire que tu m'évitais.

Jean-Michel fronça les sourcils.

– Vous vous connaissez ?

– Évidemment, dit Véronica.

– Véronica, tais-toi ! la rembarra Randalf.

Le docteur Câlinou gloussa.

– Je serais ravi d'avoir une petite conversation avec toi, Randy, mais pour le moment, j'ai plus important à régler.

Câlinou leur tourna de nouveau le dos.

Quentin fit signe aux magiciens de se serrer pour caser les nouveaux arrivants. Câlinou tapait impatiemment du pied.

Jean-Michel, Norbert, Henri et Véronica étaient montés sur le podium. Il n'y avait plus de place pour Randalf.

– Allez ! s'impatienta Quentin, remuez-vous ! Bertram l'Incroyablement Poilu, rapprochez-vous de Colin l'Indescriptible ! Comme ça, Boris le Chauve pourra se déplacer un peu. Éric le Moucheté se met derrière... voilà, et Ernie le Ratatiné devant, entre Melvyn le Mauve et... Oui, comme ça. Norbert, mettez-vous à côté de Roger... Voilà, c'est parfait ! Vous pouvez monter, Randalf.

– Oh, ne vous dérangez pas pour moi, dit Randalf. Je vais vous attendre dans la cuisine. Ce sera plus simple.

– Randalf ! tonna le docteur Câlinou.

Tremblant, le magicien monta les trois marches qui menaient au podium sans rechigner plus longtemps.

– Bon, tout le monde est prêt ? demanda le docteur Câlinou. Alors, qu'on amène le lapin de bois !

Dans le public, des centaines d'elfes lancèrent des cris d'admiration en voyant apparaître l'immense construction.

Le lapin géant était très ressemblant, dans les moindres détails : de ses moustaches en bois à ses pattes en bois en passant par sa queue en bois.

– Quentin ! appela le docteur Câlinou.

Quentin s'approcha de son maître vénéré et commença d'une voix grave :

– Mes chers elfes, votre travail est terminé.

– Ooooh ! s'exclamèrent en chœur les petites créatures, déçues.

– Et il ne me reste plus qu'à laisser la parole au plus grand et au plus aimé tyran du Marais qui pue, j'ai nommé… le docteur Câlinou !

Un tonnerre d'applaudissements retentit.

– Merci, merci, dit le docteur Câlinou en levant un bras. Je vous ai fait travailler dur, c'est vrai. Je vous ai obligés à fournir un labeur éreintant, comme je vous l'avais d'ailleurs promis…

– Encore ! encore ! crièrent les elfes.

– … Et aujourd'hui je vous l'annonce : je vous réserve encore beaucoup de corvées épuisantes !

– Hourra !

– Je vous presserai encore comme des citrons, sans vous accorder la moindre pause.

– Hourra !

– Mais pour le moment, je déclare vos vacances à la Clairière gloussante terminées.

Quentin fit un pas en avant.

– S'il vous plaît, ne vous bousculez pas en partant et vérifiez que vous n'oubliez rien. Merci.

Les elfes se levèrent et commencèrent à se diriger par petits groupes vers la forêt.

– Mon mal de dos était merveilleux ! pouvait-on entendre.

– Ah ! une bonne suée, y a que ça de vrai.

– Mais toutes les bonnes choses ont une fin !

– Un elfe sans travail est comme une poignée sans valise !

– Je suis bien content de voir ces affreuses créatures débarrasser le plancher, grommela un frêne en les regardant s'éloigner.

– Ouais, et bon voyage ! renchérit un pin.

– Surtout ne revenez pas !

Le bois des Elfes avait retrouvé sa quiétude. On n'entendait plus que le souffle du vent dans les branches et le babillage lointain du ruisseau.

Brenda, toujours perchée au sommet de son chêne, ouvrit un œil. Elle regarda en bas, et se détendit.

– Sniffy, dit-elle. Je crois qu'ils sont partis.

Dans la clairière, le docteur Câlinou s'adressait à présent aux magiciens et à ses nouveaux invités.

– Tout le monde pense que je suis fou ! dit-il.

– Tu es fou, marmonna Randalf dans sa barbe.

– Tout le monde pensait aussi que j'allais échouer, continua Câlinou, mais moi, moi, le grand Câlinou, j'ai prouvé que j'étais le meilleur !

Il se tourna et montra le lapin géant.

Jean-Michel secoua la tête. Le lapin avait une oreille plus longue que l'autre et il donnait l'impression de loucher. Une porte s'ouvrait sur son torse.

– J'ai tout essayé pour pénétrer dans le château du baron Cornu ! Tout ! Les rideaux chantants, les armoires ensorcelées...

– Je savais bien que Câlinou était derrière tout ça, commenta Véronica.

– Mais cette fois, je suis sûr de ma réussite. Ma ruse triomphera, là où la force a failli. À l'intérieur de ce lapin de bois, sera dissimulée une escouade d'élite, entraînée par mes soins !

Il gloussa.

– Je placerai le lapin devant le château et ferai annoncer que c'est un présent pour le baron. Il ne se doutera de rien et le fera pénétrer derrière les murailles... Dès que sonneront les douze coups de minuit, mon escouade sortira du lapin, et...

Ses yeux bleus lancèrent des éclairs.

– ... et je deviendrai le maître du Marais qui pue !

Il s'interrompit pour se tourner vers Roger le Plissé.

– Le sort d'animation ! Tout de suite.

Imperturbable, Roger le Plissé s'avança, dressa les bras et entonna une incantation. Les roues du lapin se mirent à avancer.

Jean-Michel n'en croyait pas ses yeux.

– Yessss ! s'écria le docteur Câlinou. Ça marche ! Je suis un génie !

Ses yeux bleus étaient exorbités.

– Le temps de mon règne est venu ! À présent nous pouvons entrer dans le lapin géant !

– Pas si vite, Câlinou ! lança une voix.

Un gros chat rose à rayures bondit par-dessus la barrière. Sur son dos, une princesse guerrière brandissait son épée.

– Sniffy ! dit Jean-Michel.

– Brenda ! cria Randalf.

– Iiiiik ! hurla Quentin en sautant dans les bras de Norbert.

Brenda sauta à bas de sa monture, se campa devant le docteur Câlinou et le menaça de son arme.

– Relâche tes prisonniers, être infâme ! rugit-elle.

– Jamais ! tonna Câlinou.

– C'est ce qu'on va voir ! rétorqua la princesse en faisant siffler la lame de son épée.

Swish, swish, swish !

En trois coups, elle réduisit en lambeaux la tunique du docteur Câlinou... qui n'était autre qu'un gros

nounours rose avec des yeux bleus et des papattes bou-
dinées.

– Quoi ? s'écria Jean-Michel. C'est ça, le terrible docteur Câlinou !

Roger le Plissé plissa les yeux.

– Je suis sûr de vous avoir déjà vu quelque part...

Il se tourna vers Randalf.

– N'est-ce pas... N'aviez-vous pas...

– Taisez-vous... Oups, pardon, maître ! s'excusa
Randalf.

– C'est tout lui, ajouta Véronica. Toujours en train
de cacher quelque chose. Quand allez-vous vous déci-
der à regarder la vérité en face ?

Brenda tournait autour de Câlinou, les sourcils en arc de cercle.

– Il est vraiment bizarre, votre méchant docteur, Rudolf. C'est vraiment lui qui vous faisait si peur ?

– Oh, vous pouvez parler ! Vous tremblez devant des elfes, alors, ce n'est pas mieux !

Brenda rougit.

– Euh, oui, c'est vrai...

Elle observa de nouveau Câlinou.

– Vous êtes un très vilain nounours, vous savez ! Je vais devoir vous administrer une bonne correction !

– Oui, tirez-lui les oreilles ! s'écria Bertram l'Incroyablement Poilu.

– Et bottez-lui le derrière ! ajouta Ernie le Ratatiné.

– Et...

Câlinou reprit du poil de la bête.

– Vous vous croyez fortiche avec votre grande épée et votre chat de combat, hein ? Eh bien, regardez ça !

Il porta son sifflet à sa bouche...

Twiiiiiittt !

La porte du chalet s'ouvrit et une douzaine de nounours roses surgirent et coururent à petites foulées vers le podium.

– Mon arme secrète ! triompha le docteur Câlinou.

– Quel est ce sortilège ? dit Roger le Plissé. Seul un grand magicien est capable d'animer ainsi des animaux en peluche !

– Ce n'est pas moi ! dit Bertram l'Incroyablement Poilu.

– Moi non plus, fit écho son frère Boris le Chauve ;

– J'y suis pour rien, s'écria Éric le Moucheté.

– Nous non plus ! se récrièrent Ernie le Ratatiné et Melvyn le Mauve.

Roger foudroya du regard Colin l'Indescriptible.

– Oh Colin, dit-il. Comment as-tu pu faire une chose pareille ?

– Je voulais juste qu'on me remarque, répondit le petit magicien d'une voix douce.

Brenda éclata de rire.

– Ne vous en faites pas, je me charge de tout !

Elle brandit de nouveau son épée.

Les nounours venaient vers elle, le regard fixe.

– J'ai combattu des ogres et vaincu de puissantes sorcières ! J'ai mis à terre le grand dévoreur d'entrailles du Lac noir…

Les nounours se séparèrent en deux groupes. Six d'entre eux se jetèrent sur Brenda, les six autres sur Sniffy, qui ne s'y attendait pas. Et sans pitié, les nounours commencèrent à chatouiller leurs victimes.

– Hi hi hi hihihihi !

Brenda lâcha son épée.

– Ho hi hi hihihihihihiiii ! Laissez-moi, hi hi, arrêtez !

Sniffy ne s'en sortait pas mieux que sa maîtresse ; en quelques secondes, Brenda et Sniffy furent à la merci des nounours. Ils se roulaient tous les deux par terre, pliés en huit, des larmes roulant sur leurs joues.

– Enchaînez-les ! ordonna Câlinou.

On attacha un boulet à chacune des chevilles de la princesse et Sniffy se retrouva ficelé comme une paupiette.

Câlinou laissa éclater sa joie.

– À présent, plus personne ne m'arrêtera ! Le Marais qui pue sera à moi !

Et il partit d'un gloussement plus effrayant que jamais.

– Hin hin hin hin hin !

– **E**scouade-chatouille, vous êtes prêts ?

Tous en rang, les nounours bombèrent le torse ; leur fourrure rose brillait au soleil, leurs yeux bleus étincelaient. Le docteur Câlinou les passait en revue, redressant une oreille par-ci, époussetant une épaule par-là.

– Excellent ! gloussa-t-il. Excellent !

Puis, les mains derrière le dos, il tonna :

– Escouade-chatouille, vous êtes une force d'élite, vous devez vous montrer sans pitié. Vous vous dissimulerez dans le lapin géant et attendrez pour attaquer d'être dans la cour du château. Vous devez rester parfaitement silencieux ! Pas de gloussements, pas de ricanements ! C'est bien compris ? À minuit, vous sortirez du lapin et prendrez le château par la force. La moindre résistance sera punie de chatouilles, jusqu'à la mort s'il le faut.

Les nounours acquiescèrent. Aucune émotion n'était lisible sur leurs visages.

– Bonne chance, conclut Câlinou.

Dans un ensemble parfait, les nounours tournèrent les talons, et se dirigèrent au pas vers le lapin géant.

– Il faut les en empêcher, gémit Jean-Michel. Brenda ? Randalf ? Roger ?

Brenda secoua la tête.

– Je suis désolée, Jean-Michel, il m'a eue par surprise.

– Je savais que c'était une mauvaise idée de venir, dit Randalf. Je devrais en ce moment même être à la maison, à siroter un chocolat chaud aux crachats.

– Randalf, taisez-vous ! dit Véronica.

Jean-Michel fixa Roger le Plissé :

– Vous ne pouvez vraiment rien faire ? Vous êtes quand même le magicien le plus puissant du Marais qui pue.

Roger lui adressa un clin d'œil.

– Ne t'inquiète de rien, jeune homme. J'ai déjà tout prévu.

Le premier nounours s'apprêtait à entrer dans le lapin. Le docteur Câlinou et Quentin l'observaient.

– Quand tu penses, souffla un châtaignier, qu'ils ont coupé Edna et Dorothée pour construire ce lapin.

– C'est une honte, approuva un hêtre voisin.

– Mais si ça veut dire que le docteur Câlinou va partir pour ne plus revenir, ça valait le coup, reprit le châtaignier.

– Tu n'as pas de cœur, Bernard, lui reprocha le hêtre. Ton écorce est dure comme du bois.

Le nounours était à présent au milieu de l'escalier. Les roues du lapin bougeaient un peu, comme s'il avait hâte de prendre la route. Le cœur de Jean-Michel battait la chamade. Dans quelques secondes, les nounours seraient tous montés dans le lapin et Câlinou refermerait la porte…

Soudain, Jean-Michel entendit un soupir. Il regarda à ses pieds et découvrit… une petite cuiller. Elle sautilla jusqu'aux bottes à talons hauts de Roger le Plissé. Jean-Michel l'avait déjà vue. C'était celle qu'il avait ramassée par terre, celle qu'il avait retrouvée dans l'antre de Margot la dragonne ! Que faisait-elle là ?

Le visage de Roger le Plissé se plissa un peu plus. Il sourit.

– Tu arrives juste à temps, dit-il à la petite cuiller. Où sont les autres ?

La cuiller soupira et exécuta une pirouette. Émergeant des bois, une armée de couteaux, fourchettes, louches, hachoirs, râpe et pince à sucre apparut. Elle s'approchait en soulevant un nuage de poussière.

–À vous de jouer, lança Roger.

La cuiller soupira de nouveau, descendit les marches du podium et sautilla sur un rocher. Elle cliqueta pour attirer l'attention de l'armée de couverts. Elle désigna par trois fois le lapin géant et par trois fois, l'escouade de nounours de combat. Les couverts étaient prêts à charger.

Lames et pointes en avant, couteaux et fourchettes se lancèrent à l'assaut du lapin de bois, les cuillers n'étaient pas en reste. Le docteur Câlinou et Quentin s'immobilisèrent, terrifiés.

–Escouade d'élite! hurla le docteur Câlinou, de sa voix haut perchée. À moi!

Les nounours redescendirent les marches en courant, pour se précipiter à la rescousse, mais une section de couteaux les encercla, les fourchettes, les louches, le tranche-œuf, le cure-dent et les cuillers assuraient les arrières et ôtaient aux nounours la moindre possibilité d'évasion.

Au beau milieu de son escouade de nounours en peluche roses, Câlinou hurla :

–Vous ne me vaincrez pas!

–Je crois que c'est fait! dit Roger le Plissé.

Il ajouta en s'adressant à la petite cuiller :

–Emmenez-les!

Tout le monde suivit les couverts qui entraînaient Câlinou et ses nounours dans la maison. Ils allèrent droit dans la salle de séjour et les couverts acculèrent l'armée de Câlinou devant le lutrin. Le cure-dent sauta…

– Non ! cria Câlinou. Pas ça ! Le cure-dent atterrit sur la boîte cadenassée qui enfermait le Grand Grimoire et aussitôt la trappe s'ouvrit et engloutit tous les nounours avant de se refermer violemment. Câlinou, leur chef, poussa un gémissement désespéré.

– Hourra ! cria Jean-Michel.

Henri aboya.

– Tourtes aux poireaux et à la crème anglaise ! lança Norbert. Euh, je veux dire : hourra !

– Bravo ! se réjouirent les magiciens. Vous êtes toujours le plus fort, Roger.

– Bien joué, maître, apprécia Véronica.

– Permettez-moi de me joindre à vos admirateurs, ajouta Randalf. Je n'ai jamais douté de vous.

Roger haussa modestement les épaules.

– Ce n'était rien. C'est Câlinou lui-même qui m'a donné cette idée.

– Moi ! s'étonna Câlinou, toujours encerclé.

– Oui. Rappelez-vous… vous cherchiez des objets brillants pour attirer la convoitise du dragon. Quoi de mieux que les couverts du baron ? Vous vous êtes cru plus malin en ne m'autorisant à lire qu'un seul mot à la fois dans le Grand Grimoire mais vous étiez si occupé à me surveiller par-dessus mon épaule que vous n'avez même pas remarqué que je me concoctais, pendant ce temps, un petit sort pour moi tout seul.

Câlinou fit la moue. Roger s'éclaircit la gorge :

– Une petite cuiller pour les orchestrer tous
Une petite cuiller pour les trouver
Une petite cuiller pour les amener tous à
la Clairière gloussante et les lier…

Il marqua une pause.

– Le seigneur des
petites cuillers ! ter-
mina-t-il.

Les magiciens applau-
dirent. La petite cuiller salua
son public.

– Damned ! J'ai été
fait ! grommela
Câlinou.

– Vous voyez, reprit
Roger le Plissé, dès le départ, son sort était scellé. Les couverts ont mis un peu de temps pour arriver jus-qu'ici, mais tout est bien qui finit bien.

Il se tourna vers Câlinou.

– Quant à vous, j'espère que vous avez honte !

– C'est pas ma faute, grogna le nounours aux yeux bleus. J'ai été maltraité pendant mon enfance.

– Il est fou ! se récria Randalf en devenant tout rouge. Complètement fou.

– Il m'a tout fait subir, continua Câlinou, il me suçait les oreilles, m'obligeait à dormir dans un lit minuscule…

– N'importe quoi ! bondit Randalf. Et je vous ferais remarquer que ce lit a appartenu à un roi !

– Ça suffit ! les interrompit Roger. Câlinou, donne-moi la clé, que je récupère le grimoire.

Câlinou porta la main à son cou.

– La clé ? Oh ! Je l'ai perdue !

Roger fronça les sourcils.

– Encore un de tes sales tours, Câlinou ?

Randalf prit la clé dans sa poche.

– C'est ça que vous cherchez ? demanda-t-il.

– Randalf ! s'étonna Roger. Comment as-tu fait ça ?

– Oh, j'ai quelques petits tours dans mon sac, dit Randalf.

– Dans votre sac ! s'exclama Véronica, perchée sur son crâne. Sur votre tête plutôt !

– Véronica, tais-toi !

Roger glissa la clé dans le cadenas, mais au lieu de la tourner, il la tapota trois fois. Il y eut un cliquetis mais la trappe ne s'ouvrit pas.

– Tout est une question de technique, commenta-t-il.

Il prit le Grand Grimoire et le serra contre sa poitrine.

– Enfin ! Je vais pouvoir remettre un peu d'ordre au Marais qui pue.

Randalf toussota nerveusement.

– Je vous avais prévenu que ça finirait par vous retomber dessus… souffla Véronica.

– Véronica, tais-toi ! murmura Randalf.

Roger posa le livre sur le lutrin. Sur la couverture bleue de l'ouvrage, était collée une étiquette sur laquelle était écrit : *Roger le Plissé, magicien, Lac enchanté, le Marais qui pue. Sortilèges.* En la lisant, Jean-Michel ne put s'empêcher de penser à son cahier de calcul de CE1. Sauf que le grimoire était cinq fois plus grand.

Roger tourna les pages jaunies, couvertes d'étranges symboles, de diagrammes et de notes prises à la main.

– « Invocation de super-guerrier », lut Roger.

Il leva les yeux vers Jean-Michel.

– Tu vois, je n'ai pas oublié ta demande… alors… mais… Qu'est-ce que c'est que ça ?

– Quoi, maître ? demanda Randalf d'une voix innocente.

– La page dont j'ai besoin a été déchirée ! s'écria Roger le Plissé. Il me manque la moitié du sortilège. Qu'est-ce que ça veut dire ?

– Je lui dis ou vous avouez vous-même ? demanda Véronica.

– Je ne sais pas de quoi tu parles, grommela Randalf.

– Randalf, s'énerva la perruche. Ça suffit, maintenant !
Je vous couvre depuis trop longtemps !

– D'accord, d'accord, capitula Randalf. C'est vrai,
tout est ma faute.

Il plongea la main dans sa poche et en sortit une
feuille pliée en quatre. Il la tendit à Roger.

– Randalf, tu vas devoir fournir une explication,
gronda Roger.

Randalf baissa la tête.

– C'était pendant que vous étiez au défilé de mode
de Gobelinville, dit-il. Je n'ai pas pu m'en empêcher.
Le grimoire était sur la table. Je l'ai ouvert et...

– Tu n'as pas osé ?

Roger était outré.

– Tu n'as pas osé te servir du Grand Grimoire ?

– Si, souffla Randalf. J'ai prononcé un sort d'animation.

– Les bras m'en tombent ! dit Roger. C'est un sort
beaucoup trop compliqué pour un débutant !

– Je sais, maître, je voulais juste essayer...

– Ne m'en dis pas plus ! C'est comme ça que tu as
donné vie à Câlinou, ton nounours ! comprit soudain
Roger.

– Docteur Câlinou, s'il vous plaît, corrigea Câlinou.

Randalf acquiesça et ajouta d'une petite voix :

– Je ne pouvais pas deviner qu'un si gentil nounours
tout doux allait se transformer en monstre.

– La magie n'est pas sans conséquence, soupira Roger.

– J'ai tout de suite vu qu'il était fou ! continua Randalf. Il s'est saisi du Grand Grimoire, j'ai voulu le lui reprendre, j'ai tiré et… je me suis retrouvé avec cette page déchirée dans la main. Le sort pour invoquer un super-guerrier… J'ai essayé de réparer ma bêtise… je jure que j'ai essayé.

– Et vous avez semé encore plus de dégâts sur votre passage, observa Véronica.

– Bon, dit doucement Roger. Ne sois pas trop dure avec lui, Véronica. Randalf retiendra la leçon. N'est-ce pas, Randalf ?

– Oui, maître, acquiesça Randalf.

– Et tu es le plus vieil apprenti magicien que l'on n'ait jamais vu, ajouta Roger. Il est temps que tu aies ta propre maison sur le Lac enchanté et que l'on te nomme magicien. Qu'en penses-tu ?

– Oh ! maître, s'extasia Randalf. Moi ! Un vrai magicien ? Avec une maison pour moi tout seul sur le lac ? Tu as entendu, Véronica ?

Véronica sourit.

Soudain, un cri perçant s'éleva.

– Câlinou ! Quentin !

– Ingrid, marmonna Câlinou d'une voix blanche. Je l'avais oubliée.

– Mon petit déjeuner ! ordonna la voix. Une tasse de thé à la bergamote et deux gaufres ! Tout de suite !

– Je n'en peux plus ! soupira Quentin. Je ne supporte plus cette voix !

Roger haussa les sourcils.

– Pardonne-moi un instant, Jean-Michel, dit-il. Je vais m'occuper de ce petit problème.

Il feuilleta son grimoire.

– Ah, que c'est bon de le retrouver, murmura-t-il, ravi.

– Câlinou, je ne te le demanderai pas une nouvelle fois ! rugit Ingrid. Quentin, Quen...

On n'entendit brusquement plus qu'un ronflement.

– Et voilà, se félicita Roger. Elle est profondément endormie. Et elle ne sera éveillée que par le son de la voix de son bien-aimé, le baron Cornu.

– Son bien-aimé ! Le baron Cornu ! ricana Câlinou. Je lui ai envoyé des dizaines de lettres de rançon ! Il n'a pas répondu à une seule. Je lui ai rendu un fier service en le débarrassant de sa femme, croyez-moi !

– Je ne t'ai pas demandé ton avis, Câlinou, lui répondit tranquillement Roger le Plissé. D'ailleurs...

Il étendit les bras et commença à prononcer une autre incantation.

– Je suis le docteur Câlinou ! Docteur ! Vous m'avez compris ! Docteur Câlinou de la Clairière gloussante et...

Il se tut tout à coup. Sa fourrure rose perdit tout son brillant, ses yeux bleus cessèrent d'étinceler. Il devint tout mou et tomba sur le sol.

Il y eut d'abord un silence, puis une véritable explosion de joie.

Le docteur Câlinou était vaincu.

Le Marais qui pue était sauvé !

Quentin se pencha et ramassa le nounours.

– J'ai été stupide, dit-il. Mais moi aussi, j'ai retenu la leçon. Je ne m'occuperai plus que de pâtisserie et de glaçage, à présent. Norbert, pouvons-nous être amis à nouveau ?

Norbert sourit jusqu'aux oreilles.

– Tu seras toujours le bienvenu dans ma cuisine, dit-il.

Randalf s'approcha de Quentin en tendant les bras. Quentin lui donna son nounours. Randalf le serra affectueusement contre lui et lui murmura à l'oreille :

– Câlinou, je n'avais pas idée que je te traitais aussi mal. Je vais faire très attention à toi maintenant, je vais te poser sur mon étagère à côté d'Arlequin et de mademoiselle Couette.

Jean-Michel toussota.

– Euh, monsieur Roger... vous n'avez pas oublié ? Le sortilège pour me renvoyer chez moi ?

Le magicien se frappa le front :

– Ah oui, bien sûr ! Approche-toi, jeune homme.

– Je peux dire au revoir, avant ?

– Mais bien sûr.

Jean-Michel se tourna vers Véronica, Norbert et Randalf (qui, même s'il n'était pas un véritable magicien, resterait toujours Randalf le Sage à ses yeux).

Les trois yeux de l'ogre s'emplirent de larmes. Il prit Jean-Michel dans ses bras.

– Tu vas me manquer, pleura-t-il.

– Toi aussi, tu vas me manquer, dit Jean-Michel en sentant sa poitrine se serrer.

– Laisse-le-moi un peu, grand machin, dit Véronica. Elle se posa sur l'épaule du garçon.

– J'ai été vraiment ravie de faire ta connaissance, Jean-Michel.

– Moi aussi, Véronica, dit Jean-Michel. Moi aussi.

– Au revoir, Jean-Mi le Barbare, lança Randalf. Tu as été le plus grand super-guerrier du Marais qui pue !

Jean-Michel sourit.

– Combien de fois devrais-je vous le répéter ? Je ne suis pas un super-guerrier. Juste un garçon qui...

– Oh, mais si, Jean-Michel, tu es un véritable super-guerrier.

Brenda et Sniffy venaient d'apparaître dans l'encadrement de la porte. La princesse prit à son tour le garçon dans ses bras.

– Oui, Jean-Michel, répéta-t-elle. Tu es un véritable super-guerrier. Parmi les plus grands !

Jean-Michel rougit. Bon, peut-être avaient-ils tous raison, après tout.

– Allons, le pressa un peu Roger. Il est temps, à présent.

Le magicien déplia la feuille déchirée que Randalf lui avait donnée.

– Hum, je vois. C'est très simple en fait.

Il releva la tête et regarda Jean-Michel et Henri. Puis il étendit un bras et prononça distinctement :

– À la maison !

Pendant une seconde, Jean-Michel crut qu'il plaisantait. « À la maison » ? Qu'est-ce que c'était que ce sort à la noix ?

Mais tout à coup, son corps entier, de la tête aux pieds, fut parcouru de mini-décharges électriques ; il entendit une drôle de musique et sentit une odeur de pain grillé. Il eut l'impression d'être pris dans une tornade, il eut encore le temps d'apercevoir Norbert et Quentin qui se tenaient la main, Véronica, perchée sur le chapeau de Randalf, Brenda, Sniffy et les magiciens…

Puis tout disparut. Jean-Michel tomba dans un long tunnel ; la musique devint plus forte, l'odeur plus précise…

Crac !

Jean-Michel ouvrit les yeux et regarda autour de lui. Il n'avait plus d'armure. Vêtu de ses vieux vêtements, il était assis au beau milieu du massif de rhododendrons ; près de lui, Henri le regardait en remuant la queue.

– On est revenus chez nous ! hurla Jean-Michel. On est revenus chez nous !

Henri lui répondit par un aboiement joyeux.

Ils se dégagèrent du massif et traversèrent la pelouse du parc en courant.

– Viens, mon chien, cria Jean-Michel. Papa et Maman doivent être terriblement inquiets.

Sur le chemin du retour, Jean-Michel se mit à trembler d'excitation. Le paysage lui semblait en même temps si familier et si étrange. Comme quand on revient tout juste de vacances.

Il entra chez lui et se précipita dans la cuisine…

– Papa ! Maman ! Je suis revenu ! Ella ! Les jumeaux !

Sa grande sœur, Ella, le toisa, leva les yeux au ciel et sortit de la pièce ; les jumeaux se regardèrent et éclatèrent de rire.

– Ta promenade était agréable ? lui demanda sa mère en éteignant son aspirateur.

Jean-Michel ne comprenait pas.

– Oui, répondit-il. Mais je suis parti très longtemps…

– À peu près une heure et demie, sourit sa mère. Nous dînons dans une demi-heure. Tu as encore le temps d'avancer tes devoirs. Tu avais une rédaction, je crois ?

– Oui, acquiesça Jean-Michel. « Mes aventures fantastiques ». C'était ça le sujet.

– Et tu as des idées ?

Jean-Michel hocha la tête en souriant.

– Une ou deux…

Au Marais qui pue, le lapin géant achevait son voyage. Il était enfin arrivé devant le château du baron Cornu. Benson fut le premier à le remarquer. Il s'en approcha et trouva, sur une des pattes du lapin, une lettre destinée au baron. Il la lui apporta. Le baron ôtait quelques mauvaises herbes dans son potager.

– Que voulez-vous encore, Benson ? grommela le baron en le voyant arriver. Je vous ai déjà demandé mille fois de ne pas me déranger quand je m'occupe des betteraves avec Fifi.

Il remarqua l'enveloppe.

– Surtout si c'est une fois de plus pour me lire un de ces fichus courriers.

– Je pense que la teneur de celui-ci est différente, dit Benson.

Le baron déchira l'enveloppe, sortit la lettre et commença à lire. Il sourit.

– Mais ce sont de merveilleuses nouvelles ! s'exclamat-il. Écoute, Fifi, c'est de la part du docteur Câlinou…

Il lut à voix haute :

– « Pardonnez-moi pour mes derniers mauvais tours. Je prends ma retraite. Je vous envoie ce petit cadeau en gage de mon amitié. »

Il leva les yeux vers Benson.

– Quel cadeau ?

– Il est devant le portail.

– Apportez-le ici !

– Très bien, messire.

Benson tourna les talons et revint quelques instants plus tard, en tirant derrière lui le lapin géant.

– Oh ! Une sculpture de jardin ! s'émerveilla Fifi. Elle sera si jolie près du mur et elle fera peur à ces méchants lapins et à ces affreuses souris échassières qui viennent grignoter nos betteraves pendant la nuit !

– Tu aimes, ma Fifi ? se réjouit le baron en lui prenant la main. Moi aussi et ce que j'adore encore plus…

Juste à cet instant, un craquement lugubre retentit. Il semblait venir de l'intérieur du lapin géant. Fifi et le baron se retournèrent pour voir s'ouvrir une porte découpée dans le poitrail du lapin. Une grosse jambe apparut.

– Walter ? cria une voix aiguë. Walter !

– Madame la baronne ! lança Benson.

– Ingrid ! s'étrangla Fifi.

– Aaaaaargh ! s'étouffa le baron Cornu.

Jean-Michel Chanourdi était assis à son bureau. La musique de sa sœur était plus forte que jamais. Sa mère avait rallumé son aspirateur, son père continuait de jouer de la perceuse et les jumeaux se disputaient devant la porte de sa chambre.

Mais Jean-Michel n'entendait rien.

Il écrivait.

La nuit tombait sur le Marais qui pue. Le soleil avait disparu derrière l'horizon, le ciel s'obscurcissait et, déjà, deux des trois lunes de la contrée éclairaient les Montagnes moisies…

Les trois lunes du Marais qui pue éclairaient les Montagnes moisies, la Mare odorante, Gobelinville, le pont des Trolls, le Lac enchanté… et deux silhouettes qui marchaient, main dans la main, sur le chemin poussiéreux.

– Oh Fifi, dit la première silhouette, qui était chauve comme un œuf. Je suis enfin libre. Nous allons pouvoir vivre notre amour au grand jour et cultiver des champs entiers de betteraves !

– Toi et moi, Walter, lui répondit l'autre silhouette. Rien que toi et moi ! Après tout ce temps…

Elle passa la main sur le crâne lisse de son compagnon.

– Tu es aussi beau que le jour où je t'ai rencontré, Walter. C'était une très mauvaise idée de te cacher sous cet affreux casque à cornes !

– Oui, mon aimée, et je suis si soulagé de ne plus sentir peser sur ma tête le poids de toutes ces responsabilités. Je me sens renaître !

Pendant ce temps, au château, dans une des chambres de l'aile ouest :

– Ce casque te va si bien, Benson ! Promets-moi de ne jamais l'enlever. Tu es magnifique !

– Vous le pensez vraiment, baronne ?

– Oh, Benson, tu es le baron Cornu à présent, tu peux m'appeler Ingrid !

Achevé d'imprimer en France par Aubin.
Dépôt légal : 4ᵉ trimestre 2005
Nº d'impression : L 68473